D1294091

DELICIOSAS RECETAS
PARA LAS 4 COMIDAS DEL NIÑO

Love Food ® is an imprint of
Parragon Books Ltd
Love Food ® and the accompanying heart
device is a trade mark of Parragon Books Ltd

Parragon Books Ltd
Queen Street House
4 Queen Street
Bath BA1 1HE
Reino Unido

Diseño: Terry Jeavons & Company
Traducción: Carlos Chacón Zabalza para LocTeam, Barcelona
Redacción y maquetación de la edición en español: LocTeam, Barcelona

ISBN 978-1-4075-7018-1

Printed in China – Impreso en China

En este libro se utiliza el sistema de medición métrico. Todas las cucharadas utilizadas como unidad son rasas, a menos que se indique lo contrario: una cucharadita equivale a 5 ml y una cucharada a 15 ml. Si no se indica lo contrario, la leche que se utiliza en las recetas es leche entera; los huevos y las hortalizas, como por ejemplo las patatas, son de tamaño mediano, y la pimienta es negra y recién molida.

Se desaconsejan las recetas que contienen huevos crudos o poco hechos para niños, ancianos, embarazadas y personas convalecientes o enfermas. Se aconseja a las mujeres embarazadas y a las que dan el pecho que eviten el consumo de cacahuetes y de productos que lo contengan.

Índice

Introducción

A partir de los 2 años los niños empiezan a hacer cuatro comidas al día. Si le resulta un reto lograr que sus hijos se alimenten bien y disfruten con la comida casera de calidad, este libro es la respuesta. Con recetas especialmente elaboradas pensando en ellos, es una guía indispensable para preparar platos que les resulten apetitosos. Muchas de las recetas serán también del gusto de los adultos, ya que la ajetreada vida actual deja poco tiempo para cocinar platos distintos para cada uno y la comida de los niños suele acabar siendo la de toda la familia. El libro contiene muchas ideas para elaborar platos atractivos para los niños más pequeños y otras recetas más sofisticadas para sus hermanos mayores.

El recetario empieza con el desayuno, la comida más importante del día y la que a veces resulta más difícil que hagan los niños en edad escolar. Las recetas se han elegido especialmente para tentar a los jovencitos que tienen prisa o poco apetito, pero también se describen platos sustanciosos para quienes empiezan el día con un hambre voraz.

La carne, las aves y el pescado son fundamentales para el crecimiento de niños y adolescentes. Este libro incluye una selección de sabrosos platos de todo el mundo ideales para todas las edades y gustos. Las recetas de verduras combinan variedades de sabor suave con ingredientes como la pasta, de modo que los niños casi no se dan cuenta de que se las están comiendo. Esas recetas resultan perfectas si se cuenta con un vegetariano en la familia.

Hay un capítulo de especial importancia dedicado a las meriendas sanas, tanto dulces como saladas. La clave es tenerlas listas cuando se necesitan para que los niños no pidan dulces o bebidas azucaradas. Los rellenos y las salsas para bocadillos, como el *hummus*, pueden prepararse de antemano y conservarse en el frigorífico. Las palomitas de maíz y los nachos pueden elaborarse en unos minutos, y sirven para que los niños ayuden en la cocina. El libro termina con una maravillosa selección de deliciosos postres que encantarán a los niños, como un arroz con leche para los días de colegio o un espectacular helado con salsa de fresa para una ocasión especial.

Si no se dispone de tiempo, a veces parece más fácil decantarse por la comida preparada. Sin embargo, no puede negarse que la comida casera recién hecha es mejor tanto para los niños como para el resto de la familia. Al elaborar los platos desde el principio, usted sabe exactamente qué contienen, lo que le permite planificar las comidas de forma que sus hijos ingieran los alimentos más nutritivos para la etapa concreta de desarrollo físico en la que se encuentren.

Es buena idea animar a los niños a que le ayuden en la cocina. Encomendarles tareas sencillas o dejarles preparar una receta de principio a fin (con cierta ayuda paterna) fomentará en ellos un interés duradero por la comida casera y saludable.

1 Desayuno

Un buen desayuno permite comenzar el día con energía, lo cual resulta especialmente importante para los niños en edad escolar. Unos copos de avena con yogur cremoso o *muesli* con fruta y frutos secos darán energía a los niños hasta la hora de comer, así como unos huevos al horno. Los batidos fríos y el yogur siempre resultan útiles cuando se tiene prisa. Por otra parte, las magdalenas de frutas y el pan de manzana y avellanas son una buena alternativa a las tostadas que gustará a todos los niños.

10
desayuno

Frutos rojos con avena

INGREDIENTES

para 4 personas

100 g de bayas variadas frescas o descongeladas

⅓ taza de copos de avena

⅓ taza de leche

1–2 cucharaditas de miel (opcional)

yogur natural, para acompañar (opcional)

1 Tome la mitad de la fruta y tritúrela con la batidora hasta obtener una textura similar a un puré. Ponga los copos de avena y la leche en una cacerola pequeña y deje cocer a fuego lento durante unos 5 minutos, removiendo de vez en cuando. Deje enfriar un poco e incorpore la miel, si la utiliza.

2 Vierta la mezcla de copos de avena y leche en un cuenco y agregue el puré de frutas, dibujando una espiral. Pique el resto de la fruta y espárzala por encima. Sirva con yogur natural, si le gusta.

Magdalenas de muesli

INGREDIENTES

100 g de orejones picados

4 cucharadas de zumo de naranja

2 huevos

1¼ tazas de nata agria

100 ml de aceite de girasol

½ taza rasa de azúcar moreno claro

2 tazas de harina leudante

1 cucharadita de levadura en polvo

COBERTURA

¼ taza de azúcar moreno ligero

⅓ taza de *muesli* crujiente ligeramente triturado

2 cucharadas de mantequilla derretida

se obtienen 12 magdalenas grandes o 36 pequeñas

1 Precaliente el horno a 190 °C.

2 Ponga los orejones y el zumo de naranja en un cuenco pequeño y deje que se empapen unos 15 minutos. Eche los huevos en otro cuenco y bátalos. Agregue la nata agria, el aceite y el azúcar. A continuación, añada la mezcla de orejones y remueva bien. Ponga la harina y la levadura en polvo en otro recipiente y, sin dejar de remover, incorpore la mezcla de huevo y orejones. No lo ligue demasiado.

3 Introduzca la mezcla en moldes de papel colocados en una bandeja para magdalenas. Mezcle los ingredientes de la cobertura y espolvoréelos por encima de las magdalenas. Hornéelas entre 10 y 15 minutos si son pequeñas, y entre 25 y 30 si son grandes.

Batidos

INGREDIENTES

BATIDO DE FRUTAS

½ mango pelado y picado

1 plátano pequeño

4–6 fresas

½ taza rasa de yogur natural con miel

⅔ taza de leche

4 cubitos de hielo

BATIDO DE PLÁTANO MALTEADO

1 plátano pequeño picado

1 taza de leche

2 cucharadas de leche malteada en polvo

4 cubitos de hielo

para 2 personas

BATIDO DE FRUTAS

1 Pase todos los ingredientes por la batidora hasta obtener una mezcla homogénea. Viértala en vasos y sírvala con pajitas.

BATIDO DE PLÁTANO MALTEADO

1 Pase todos los ingredientes por la batidora hasta obtener una mezcla homogénea.
Si prefiere un batido de chocolate, utilice leche malteada en polvo con chocolate y helado de chocolate. Vierta la mezcla en vasos y sírvala con pajitas.

Muesli de coco

INGREDIENTES

1⅓ tazas de copos de avena

3¾ tazas de copos de trigo

3 cucharadas de pasas

⅓ taza de orejones sin azufre bien picados

½ taza de avellanas tostadas bien picadas

⅓ taza de coco seco, rallado y sin azúcar

manzana recién rallada (opcional)

leche, para acompañar

se obtienen 10 porciones

1 Mezcle los copos de avena y de trigo, las pasas, los orejones, las avellanas y el coco. Conserve la mezcla en un recipiente hermético.

2 Justo antes de servir, mezcle unas cucharadas del *muesli* con 2 cucharadas de manzana recién rallada, si le gusta, y sirva con leche.

ABC·123

Huevos al horno

INGREDIENTES

para 2 personas

mantequilla, para untar

2 huevos grandes

sal y pimienta

2 cucharadas de nata líquida

1 Precaliente el horno a 190 °C. Unte generosamente con mantequilla 2 moldes pequeños y casque 1 huevo en cada uno de ellos. Salpimiente y agregue 1 cucharada de nata líquida.

2 Ponga los moldes en una bandeja de horno con suficiente agua caliente para cubrir la mitad de la altura de los recipientes y hornee durante 15 minutos si le gusta el huevo blando, y 18–20 minutos si lo prefiere más consistente.

Magdalenas de arándanos y salvado

INGREDIENTES

se obtienen 10 magdalenas

1 taza colmada de harina blanca

¾ taza rasa de harina leudante integral

1 cucharada de salvado de avena

2 cucharaditas de levadura en polvo

½ cucharadita de bicarbonato de soda

una pizca de sal

¼ taza de azúcar sin refinar

1 cucharada de miel

1 huevo grande

1 taza de suero de leche

1¼ tazas colmadas de arándanos frescos

1 Precaliente el horno a 180 °C. Forre 10 moldes de una bandeja para magdalenas con cápsulas de papel.

2 Mezcle en un cuenco los dos tipos de harina, el salvado, la levadura, el bicarbonato de soda y la sal, y a continuación incorpore el azúcar. Mezcle la miel, el huevo y el suero de leche en una jarrita.

3 Vierta los ingredientes de la jarrita sobre los secos y remueva un poco para que se mezclen. No remueva en exceso, ya que la masa debe tener algunos grumos. Incorpore los arándanos.

4 Introduzca la masa en los moldes de papel para magdalena y hornee durante 20 minutos hasta que las magdalenas suban y estén ligeramente doradas.

5 Saque los moldes del horno y deje que se enfríen en la bandeja. Sirva las magdalenas calientes o frías.

Tostada con huevo

INGREDIENTES

para ❶ persona

1 rebanada de pan integral

1 cucharada de aceite de oliva

2–3 champiñones cortados en láminas

1 tomate partido por la mitad

1 huevo pequeño

pimienta

1 Con un cortador de galletas, realice un orificio en el centro de la rebanada de pan de manera que sea lo bastante grande como para que quepa el huevo.

2 Caliente el aceite en una sartén antiadherente y saltee los champiñones y el tomate, con la parte cortada hacia abajo, durante 3 o 4 minutos hasta que los champiñones empiecen a dorarse. Dele la vuelta al tomate.

3 Haga un hueco en el centro de la sartén y coloque la rebanada de pan. Casque el huevo y, con cuidado, póngalo en el agujero del pan. Baje el fuego y deje que se haga unos instantes hasta que el huevo esté listo.

4 Sazone todo al gusto con pimienta y sirva la tostada con huevo junto con los champiñones y el tomate.

Yogur crujiente

INGREDIENTES

para 2 personas

2⅓ tazas de copos de avena

2 cucharadas de miel

2 cucharadas de pipas de calabaza

2 cucharadas de pipas de girasol

2 cucharadas de nueces picadas

1 pera madura pequeña, pelada, sin corazón y troceada

½ mango maduro sin hueso, pelado y troceado

½ taza generosa de yogur natural

1 Precaliente el horno a 180 °C.

2 Mezcle los copos de avena y la miel en un cuenco, y extienda la mezcla en una bandeja de horno. Hornee durante 10–15 minutos, removiendo un par de veces, hasta que los copos de avena estén ligeramente dorados. Saque la mezcla del horno y deje enfriar.

3 Ponga las pipas peladas en un mortero y tritúrelas. Mézclelas con los copos de avena fríos y las nueces.

4 Para montar el postre, ponga la mitad de la pera y el mango en un vaso, y vierta encima la mitad del yogur y una cucharada de *muesli*. Repita la operación con el resto de la fruta y del yogur, y corone con más *muesli*.

Granola

INGREDIENTES

para 4 personas

3 tazas de copos de avena

1 cucharada de germinado de trigo

1 taza de leche entera o de soja

2 cucharadas de miel y un poco más para acompañar (opcional)

2 cucharadas de yogur natural

1 manzana pelada, sin corazón y rallada

1 taza de frutos secos picados, como nueces de macadamia, anacardos o avellanas

bayas variadas, como arándanos, frambuesas y fresas

fruta triturada, para acompañar (opcional)

1 La noche antes de preparar la receta, mezcle los copos de avena, el germinado de trigo y la leche en un cuenco, cúbralo con plástico transparente y deje enfriar hasta el día siguiente.

2 Por la mañana, incorpore al cuenco la miel, el yogur y la manzana, y remueva bien.

3 Ponga la mezcla en cuencos individuales, coloque encima los frutos secos y las bayas y riegue todo con un poco más de miel, o fruta triturada, si decide utilizarla.

Pan de manzana y avellanas

INGREDIENTES

mantequilla, para untar

1½ tazas de agua tibia

1 cucharadita de azúcar moreno extrafino

7 g de levadura seca activa empaquetada

2¾ tazas colmadas de harina y un poco más para enharinar la superficie de trabajo

2¾ tazas colmadas de harina leudante ligeramente oscura

½ cucharadita de sal

¾ taza colmada de avellanas tostadas picadas

1 manzana rallada

50 g de manzana seca troceada

PARA ACOMPAÑAR

miel

rodajas de plátano o mantequilla de nueces

se obtiene 1 barra

1 Unte con mantequilla un molde para pan de 20 x 10 x 5 cm. Eche ⅓ taza de agua tibia en una jarrita, incorpore el azúcar y la levadura, y deje reposar durante 15 minutos.

2 A continuación, mezcle en un cuenco los dos tipos de harina, la sal, las avellanas y la manzana fresca y la seca. Haga un hueco en el centro, vierta la mezcla de levadura y combine poco a poco con la de harina. Incorpore el resto de agua tibia y mezcle bien hasta obtener una masa blanda.

3 Ponga la mezcla en una superficie enharinada y amásela. Dele forma rectangular y colóquela en el molde. Cubra con un paño húmedo y caliente, y deje reposar en un lugar cálido durante 40 minutos hasta que la masa haya subido.

4 Mientras, precaliente el horno a 200 °C. Retire el paño y hornee el pan durante 40 minutos. Con cuidado, saque la barra del molde y póngala de nuevo en el horno, boca abajo, durante 10–15 minutos o hasta que el pan suene a hueco al golpearlo en la base.

5 Saque el pan del horno y déjelo enfriar en una rejilla. Córtelo en rebanadas y sírvalo untado con miel y rodajas de plátano o mantequilla de nueces. Puede conservarlo tres días envuelto en papel de aluminio o hasta un mes, si lo congela.

Huevo al horno con jamón y tomate

INGREDIENTES

para 1 persona

1 cucharadita de aceite de oliva

½ puerro pequeño picado

2 lonchas muy finas de jamón, picadas

1 huevo

¼ taza de queso *cheddar* rallado

2 rodajas de tomate

1 Precaliente el horno a 180 °C. Caliente el aceite en una cacerola y rehogue el puerro 5 o 6 minutos hasta que esté blando.

2 Ponga el puerro en el fondo de un molde y coloque encima el jamón. Casque el huevo e incorpórelo, y corone todo con queso y tomate.

3 Hornee durante 10 minutos hasta que el huevo esté hecho. Saque el molde del horno, deje enfriar un poco, envuélvalo en un paño de cocina y sirva.

Gofres con plátano caramelizado

INGREDIENTES

1¼ tazas de harina

2 cucharaditas de levadura en polvo

½ cucharadita de sal

2 cucharaditas de azúcar extrafino

2 huevos, con la clara y la yema por separado

1 taza de leche

6 cucharadas de mantequilla derretida

PLÁTANOS CARAMELIZADOS

7 cucharadas de mantequilla desmenuzada

3 cucharadas de almíbar de maíz oscuro

3 plátanos grandes maduros pelados y cortados en rodajas gruesas

se obtienen 12 gofres

1 En un recipiente mezcle la harina, la levadura, la sal y el azúcar. En un cuenco aparte bata con un tenedor las yemas de huevo, la leche y la mantequilla derretida, y añada esta mezcla a los ingredientes secos para obtener una masa.

2 Con una batidora eléctrica o un batidor manual, monte las claras de huevo en un cuenco limpio. Incorpórelas a la masa. Ponga 2 cucharadas grandes de masa en una gofrera precalentada y siga las instrucciones del fabricante del aparato.

3 Para preparar los plátanos caramelizados, derrita a fuego lento en una cacerola la mantequilla con el almíbar de maíz oscuro y remueva hasta que se mezcle bien. Deje cocer unos minutos hasta que el caramelo se espese y adopte un tono ligeramente más oscuro. Agregue los plátanos y remueva para que queden bien recubiertos. Disponga las rodajas de plátano sobre los gofres calientes y sirva inmediatamente.

Gachas dulces con jarabe de arce y fruta variada

INGREDIENTES

para 1 persona

¾ taza de leche entera o de soja y un poco más para el momento de servir el postre (opcional)

½ taza de avena

1 cucharada de jarabe de arce o miel

fruta fresca variada, como manzanas, peras, plátanos, melocotones, mangos, fresas y frambuesas, preparada y troceada

1 Mezcle la leche y la avena en una cacerola y déjelas cocer a fuego medio, removiendo, entre 8 y 10 minutos.

2 Vierta por encima el jarabe de arce y corone con la fruta fresca. Incorpore un poco más de leche si es necesario.

2 Carne y aves

Las recetas de este capítulo harán las delicias de niños y mayores. La pasta con salsa de carne o las minialbóndigas gustan a todos, igual que el pastel de carne con una cobertura cremosa de patata o unos deliciosos bocaditos de pollo y manzana. También hay platos exquisitos de todo el mundo. A los niños mayores les encantará el sabor del pollo agridulce o las quesadillas y los rollitos picantes al estilo mexicano.

Minialbóndigas con espaguetis

INGREDIENTES

55 g de ternera magra picada

1 cucharadita de cebolla bien picada

2 cucharaditas de albahaca fresca picada

1 cucharada de pan fresco integral rallado

1 cucharadita de aceite de oliva

1½–2 tazas de salsa de tomate

55 g de espaguetis secos partidos en trozos más pequeños

perejil fresco recién picado (opcional)

se obtienen entre 8 y 10 albóndigas

1 Para elaborar las albóndigas, ponga la ternera picada, la cebolla, la albahaca y el pan rallado en un cuenco pequeño y páselo todo por la batidora. Forme con la mezcla pequeñas bolas del mismo tamaño.

2 A continuación, caliente el aceite en una cacerola pequeña y fría las minialbóndigas, dándoles la vuelta con frecuencia, durante 2 o 3 minutos hasta que estén ligeramente doradas. Vierta por encima la salsa de tomate, tape la cacerola y deje cocer a fuego lento durante unos 10 minutos.

3 Hierva los espaguetis en otra cacerola siguiendo las instrucciones del paquete. Escúrralos. Ponga los espaguetis en el plato, coloque encima las minialbóndigas y riéguelo todo con la salsa. Espolvoree un poco de perejil, si le gusta, y sirva.

Espaguetis a la boloñesa

INGREDIENTES

para 4 personas

350 g de espaguetis u otra pasta

SALSA BOLOÑESA

2 cucharadas de aceite de oliva

1 cebolla bien troceada

2 dientes de ajo bien picados y 1 zanahoria pelada y bien picada

1½ tazas de champiñones pelados y cortados en láminas o picados (opcional)

1 cucharadita de orégano seco y ½ cucharadita de tomillo seco

1 hoja de laurel

280 g de ternera magra picada

1¼ tazas de caldo

1¼ tazas de tomate rallado

pimienta

queso *parmesano* rallado (opcional)

1 Para preparar la salsa, caliente el aceite en una sartén de fondo pesado. Incorpore la cebolla y saltéela, con la sartén semitapada, durante 5 minutos o hasta que esté tierna. Agregue el ajo, la zanahoria y los champiñones, si decide utilizarlos, y saltee todo otros 3 minutos, removiendo de vez en cuando.

2 Añada las hierbas y la ternera picada a la sartén, y saltee hasta que la carne esté dorada, removiendo con frecuencia.

3 Incorpore el caldo y el tomate rallado. Baje el fuego, sazone al gusto y deje cocer a fuego medio-bajo, con la cacerola semitapada, entre 15 y 20 minutos o hasta que la salsa haya reducido y se haya espesado. Deseche la hoja de laurel.

4 Mientras, hierva la pasta siguiendo las instrucciones del paquete hasta que esté tierna. Escúrrala bien y mézclela con la salsa hasta que la pasta quede bien recubierta. Sirva inmediatamente, con el queso esparcido por encima, si le gusta.

Hamburguesas deliciosas

INGREDIENTES

450 g de ternera picada

1 cebolla bien picada

1 huevo batido

sal y pimienta

1 cucharada de harina, para dar forma

1 cucharada de aceite de oliva

PARA ACOMPAÑAR

4–6 panecillos para hamburguesa

media lechuga

2 tomates

mostaza, *ketchup* o mayonesa

se obtienen entre 4 y 6 hamburguesas

1 Ponga la ternera picada en un recipiente, añada la cebolla y el huevo, y salpimiente. Mezcle bien.

2 Enharine ligeramente sus manos y la tabla de cortar. Reparta la mezcla en 4–6 porciones iguales y deles forma de hamburguesa.

3 Deje enfriar las hamburguesas en el frigorífico durante 10 minutos. Precaliente el gratinador del horno. Unte las hamburguesas frías con aceite y póngalas debajo.

4 Ase las hamburguesas entre 4 y 6 minutos. Deles la vuelta, úntelas de nuevo con aceite y áselas otros 4–6 minutos hasta que estén hechas.

5 Parta los panecillos por la mitad. Si lo desea, tuéstelos bajo el gratinador. Corte los tomates en rodajas finas. Lave y trocee la lechuga.

6 Ponga un poco de lechuga en cada panecillo y coloque encima la hamburguesa y una rodaja de tomate. Sirva con la salsa que más le guste.

Pastel de carne

INGREDIENTES

para 4 personas

2 cucharadas de aceite de oliva

750 g de cordero o ternera magros, frescos y picados

1 puerro picado

1 cebolla roja pequeña picada

2 zanahorias troceadas

1 tallo de apio troceado

100 g de champiñones troceados

400 g de tomates en conserva

2 cucharadas de hojas de tomillo fresco

½ taza de agua

500 g patatas hervidas y machacadas

400 g de boniatos hervidos y machacados

4 cucharadas de leche entera

un trozo de mantequilla sin sal

sal y pimienta

1 Caliente la mitad del aceite en una cacerola antiadherente y saltee el cordero picado a fuego vivo, desmenuzándolo con una cuchara de madera, hasta que esté dorado.
Retire el cordero picado de la sartén con una espumadera, quítele la grasa y limpie la sartén con papel de cocina.

2 Añada el resto del aceite a la sartén y rehogue el puerro, la cebolla, la zanahoria y el apio durante 15 minutos, hasta que estén tiernos. Incorpore de nuevo el cordero a la cacerola y agregue los champiñones, los tomates, el tomillo y el agua. Salpimiente al gusto y deje cocer a fuego lento durante 40 minutos, removiendo de vez en cuando.

3 Mientras, precaliente el horno a 180 °C. Mezcle las patatas y los boniatos machacados con la mitad de la leche y la mitad de la mantequilla en un cuenco, y salpimiente al gusto.

4 Ponga la mezcla de carne en una fuente de horno y coloque encima la de patata y boniato. Pinte la superficie con el resto de la leche y esparza unos dados de mantequilla.
Hornee durante 35 minutos hasta que la parte de arriba esté dorada y crujiente.

Pizza de jamón

MASA DE PIZZA

1½ tazas colmadas de harina

½ cucharadita de sal

2 cucharaditas de levadura instantánea

1 cucharada de aceite vegetal

¾ taza de agua tibia

2 cucharadas de harina para enharinar la superficie de trabajo

COBERTURA

400 g de tomates en conserva troceados y 2 cucharadas de concentrado de tomate

2 cucharaditas de orégano seco

sal y pimienta

2 lonchas de jamón y 150 g de *mozzarella*, desmenuzados, 1 pimiento amarillo cortado en aros y 4 champiñones cortados en láminas

2 cucharadas de aceite de oliva

para 4 personas

1 Ponga en un cuenco la harina, la sal y la levadura, y añada el aceite y el agua. Mezcle bien hasta obtener una masa blanda. Trabájela sobre una superficie ligeramente enharinada hasta que la masa esté homogénea y elástica. Póngala de nuevo en el cuenco, cúbrala y déjela en un lugar templado durante una hora.

2 Una vez que la masa haya subido, enharine sus manos y la superficie de trabajo. Trabaje la masa hasta que esté blanda, divídala en dos y estire ambas mitades hasta obtener sendos círculos de 15 cm de diámetro.

3 Levante los extremos de la masa. Unte con aceite la bandeja de horno, coloque los círculos de masa y deje que suban mientras prepara la cobertura.

4 Precaliente el horno a 220 °C. Escurra los tomates y póngalos en otro cuenco junto con el concentrado de tomate y el orégano. Mezcle y salpimiente.

5 Extienda la mitad de la mezcla sobre cada círculo de masa. Disponga encima el jamón, el queso, el pimiento y los champiñones. Pinte con el aceite de oliva y hornee entre 15 y 20 minutos hasta que la superficie esté ligeramente dorada y firme. Saque del horno y sirva.

Nuggets de pollo caseros

INGREDIENTES

para 4 personas

3 pechugas de pollo sin piel

4 cucharadas de harina integral

1 cucharada de germinado de trigo

½ cucharadita de comino molido

½ cucharadita de cilantro molido

pimienta

1 huevo ligeramente batido

2 cucharadas de aceite de oliva

ensalada verde, para acompañar

SALSA

100 g de tomates semisecos y confitados

100 g de tomates frescos, pelados, sin pepitas y troceados

2 cucharadas de mayonesa

1 Precaliente el horno a 190 °C. Corte las pechugas de pollo en trozos de 4 cm. Mezcle en un cuenco la harina, el germinado de trigo, el comino, el cilantro y pimienta al gusto. Divida la mezcla por la mitad y repártala entre 2 platos diferentes. Eche el huevo batido en un tercer plato.

2 Vierta el aceite en una bandeja de horno y caliéntelo. Reboce los trozos de pollo en el primer plato de harina, quite el exceso, páselos por el huevo y rebócelos en el segundo plato de harina, sacudiendo de nuevo el exceso. Cuando estén listos todos los *nuggets*, saque la bandeja del horno y embadúrnelos con el aceite caliente. Áselos en el horno entre 25 y 30 minutos hasta que estén dorados y crujientes.

3 Mientras, para elaborar la salsa, pase los dos tipos de tomates por la batidora o por el robot de cocina hasta que quede una mezcla homogénea. Agregue la mayonesa y bata de nuevo hasta que se mezcle bien.

4 Saque los *nuggets* del horno y déjelos escurrir sobre papel de cocina. Sírvalos con la salsa y ensalada verde.

Bocaditos de pollo y manzana

INGREDIENTES

se obtienen 24 bocaditos

1 manzana pelada, sin corazón y rallada

2 pechugas de pollo sin piel cortadas en trozos

½ cebolla roja bien picada

1 cucharada de perejil fresco picado

1 taza rasa de pan fresco integral rallado

1 cucharada de caldo de pollo concentrado

harina integral, para rebozar

aceite de cacahuete, para freír

1 Extienda la manzana sobre un paño limpio y presiónela para extraer la humedad que pueda contener.

2 Pase por la batidora o por el robot de cocina el pollo, la manzana, la cebolla, el perejil, el pan rallado y el caldo hasta que todo quede bien mezclado.

3 Extienda la harina en un plato. Divida la mezcla en 24 miniporciones, forme una bola con cada porción y rebócelas en la harina.

4 Caliente un poco de aceite en una sartén antiadherente a fuego medio y fría las bolas entre 5 y 8 minutos o hasta que estén doradas y hechas. Retírelas de la sartén y déjelas escurrir sobre papel de cocina. Puede servir los bocaditos calientes o fríos, como prefiera.

Pinchos de pollo Satay

INGREDIENTES

para 4 personas

4 pechugas de pollo sin piel de unos 140 g cada una

2 cucharadas de aceite de oliva virgen extra

2 cucharadas de zumo de limón

SALSA SATAY

125 g de mantequilla de cacahuete suave sin azúcar

1½ cucharadas de aceite de oliva

2 cucharadas de agua caliente

1½ cucharadas de salsa de soja ligera

2 cucharadas de zumo de manzana fresco

4 cucharadas de leche de coco

1 Para preparar la salsa, mezcle todos los ingredientes en un cuenco.

2 Sumerja 16 pinchos de madera en agua por lo menos durante 30 minutos para que no se quemen. Corte cada pechuga de pollo a lo largo en 4 tiras y ensarte cada tira en un pincho.

3 Mezcle el aceite y el zumo de limón en un cuenco pequeño, y pinte el pollo con la mezcla.

4 Precaliente una plancha a potencia media-alta. Ase las brochetas de pollo, en tandas, durante 3 minutos por cada lado o hasta que el pollo esté dorado y bien hecho. Asegúrese de que el pollo no queda rosado por dentro. Mantenga calientes las brochetas de pollo ya hechas mientras hace las demás. Sírvalas con la salsa.

Salteado de pollo agridulce

INGREDIENTES

para ❷ personas

55 g de fideos al huevo medianos

1 cucharada de aceite vegetal

55 g de pechuga de pollo sin piel cortada en tiras finas

½ zanahoria pequeña cortada en palitos

2 mazorcas de maíz mini partidas por la mitad a lo ancho y a lo largo

4 vainas de guisantes dulces cortadas en tiras

55 g de piña troceada

2 cebolletas en rodajas

25 g de *bok choy* o de espinacas tiernas desmenuzadas

1 cucharadita de zumo de piña, 1 de salsa de soja clara y 1 de vinagre de arroz o de jerez

PARA ACOMPAÑAR

salsa de soja (opcional)

salsa de guindilla dulce (opcional)

1 Hierva o remoje los fideos siguiendo las instrucciones del paquete. Caliente el aceite en un *wok* y saltee el pollo hasta que esté ligeramente dorado y bien hecho. Añada la zanahoria, las mazorcas de maíz mini, las vainas de guisantes, la piña y las cebolletas, y saltee todo durante 1 o 2 minutos. Agregue el *bok choy*, el zumo de piña, la salsa de soja y el vinagre, y remueva bien hasta que el *bok choy* empiece a ablandarse.

2 Escurra los fideos y sírvalos con el pollo y las verduras por encima. Si lo desea, puede agregar un poco más de salsa de soja. Es posible que a los niños mayores les guste este plato acompañado de salsa de guindilla dulce.

Quesadillas de pollo

INGREDIENTES

para 1 o 2 personas

2 tortillas de harina pequeñas

1–2 cucharaditas de mantequilla derretida, para untar

½ pechuga de pollo pequeña sin piel, bien troceada

¾ taza de *cheddar* rallado (o una mezcla de *cheddar* y *mozzarella*)

1 tomate pelado, sin pepitas y cortado en dados

2 cucharaditas de nata agria sazonada con un chorrito de zumo de lima y un poco de cilantro picado

1 Precaliente el horno a 200 °C.

2 Unte ligeramente una tortilla con un poco de mantequilla derretida y póngala, con el lado de la mantequilla hacia abajo, en una bandeja de horno. Coloque el pollo, el queso y el tomate sobre la tortilla, dejando un espacio libre a lo largo de todo el borde.

3 Ponga encima la segunda tortilla y úntela con el resto de la mantequilla. Hornee durante 10 minutos aproximadamente hasta que se funda el queso y la superficie esté dorada. Deje enfriar un poco, corte en triángulos y sirva con la nata agria.

Rollitos Tex-Mex

INGREDIENTES

para ❷ personas

2 tortillas de maíz

2 cucharadas de alubias de cultivo biológico al horno, en conserva y trituradas

2 cucharadas de queso *cheddar* rallado

2–3 cucharadas de pollo cocido bien picado o desmenuzado

1 tomate cortado en rodajas

¼ aguacate pelado y cortado en tiras

1 Ponga cada tortilla en una fuente apta para microondas. Extienda las alubias sobre ellas y esparza el queso por encima. Caliente en el microondas durante 15 segundos aproximadamente hasta que el queso se funda. Deje enfriar un poco. Disponga encima el pollo, el tomate y el aguacate. Enrolle las tortillas y córtelas en rollitos pequeños.

Muslos de pollo con ensalada de pepino

INGREDIENTES

para 6 personas

6 muslos de pollo

2 cucharadas de jarabe de arce

2 cucharadas de salsa de soja baja en sal

1 cucharadita de aceite de sésamo

½ pepino cortado en rodajas finas

sal

2 cebolletas cortadas en rodajas finas

1 Precaliente el horno a 190 °C. Quite el exceso de piel de los muslos de pollo y séquelos con papel de cocina.

2 Mezcle el jarabe de arce, la salsa de soja y el aceite de sésamo en un cuenco grande. Añada los muslos de pollo y remueva bien para que se recubran con la mezcla.

3 Ponga los muslos de pollo en una bandeja de horno antiadherente y áselos en el horno durante 30–40 minutos, rociándolos con su jugo de vez en cuando hasta que el pollo esté tierno, bien dorado y el jugo salga claro y no rosado al introducir un pincho en la parte más gruesa de la carne.

4 Mientras, ponga el pepino en un escurridor y espolvoree un poco de sal por encima. Déjelo reposar durante 10 minutos hasta que desprenda todo el líquido. Séquelo sobre papel de cocina y mézclelo con las cebolletas.

5 Sirva el pollo caliente o frío junto con la ensalada de pepino.

3 Pescado y marisco

Resulta demasiado fácil decantarse por platos precocinados de pescado o unas varitas para freír, pero siempre es mejor elaborar uno mismo los platos. A los niños les encantan los pescados sabrosos, como el salmón o el atún. La pasta mezclada con *nuggets* de pescado resulta fácil de comer y siempre gusta, incluso a los paladares infantiles más exigentes. Por su parte, el pescado con arroz constituye otra mezcla infalible. Combinado con huevos, resulta especialmente delicioso y sano.

Ensalada de pasta con atún

INGREDIENTES

para 2 personas

100 g de pasta corta integral

2 cucharadas de aceite de oliva

1 cucharada de mayonesa

1 cucharada de yogur natural

2 cucharadas de pesto

sal y pimienta

200 g de atún en conserva al natural escurrido y desmenuzado

200 g de granos de maíz en conserva sin azúcar añadido, escurridos

2 tomates pelados, sin pepitas y troceados

½ pimiento verde sin pepitas y troceado

½ aguacate sin corazón, pelado y troceado

1 Deje cocer la pasta en una cacerola grande con agua hirviendo entre 8 y 10 minutos hasta que esté tierna. Escúrrala, póngala de nuevo en la cacerola y agregue la mitad del aceite. Remueva bien, tape la cacerola y deje enfriar.

2 Mezcle la mayonesa, el yogur y el pesto en una jarrita. Agregue un poco de aceite, si es necesario, para alcanzar la consistencia deseada. Incorpore una pizca de sal y sazone con pimienta al gusto.

3 Mezcle la pasta fría con el atún, el maíz, los tomates, el pimiento y el aguacate, añada la mezcla de la jarrita y remueva todo bien.

Fajitas de atún, huevo y maíz

INGREDIENTES

para 2 personas

1 cucharada de yogur natural

1 cucharadita de aceite de oliva

½ cucharadita de vinagre de vino blanco

½ cucharadita de mostaza de *Dijon*

pimienta

1 huevo duro grande, frío

200 g de atún en conserva al natural escurrido

200 g de granos de maíz en conserva sin azúcar añadido, escurridos

2 tortillas de harina integral

1 paquete de brotes de berro o de alfalfa

1 Para preparar el relleno, mezcle el yogur, el aceite, el vinagre, la mostaza y pimienta al gusto en una jarrita hasta que emulsione y quede una mezcla homogénea.

2 Pele el huevo duro, separe la yema y la clara, machaque la yema y pique la clara. Mezcle el atún con el huevo y con el aliño, e incorpore el maíz.

3 Extienda el rellleno sobre las 2 tortillas y esparza el berro por encima. Enrolle las tortillas. Si va a comerlas fuera de casa, puede envolverlas en papel de aluminio.

Bocaditos de atún

INGREDIENTES

para 4 personas

200 g de atún en conserva al natural escurrido

1 huevo

1 cucharadita de perejil fresco picado

sal y pimienta

1 taza rasa de pan integral fresco rallado

1 cucharada de harina integral

aceite vegetal, para untar

1 Mezcle el atún con el huevo y el perejil, y salpimiente al gusto. Añada el pan rallado y mezcle bien. Incorpore harina en cantidad suficiente para que la mezcla no se desmenuce.

2 Divida la mezcla en 20 miniporciones, deles forma de bola y deje que se enfríen durante 15 minutos.

3 Mientras, precaliente el horno a 190 °C. Unte una fuente de horno antiadherente con un poco de aceite. Coloque las bolas de atún separadas en la bandeja y píntelas con un poco más de aceite. Hornéelas entre 15 y 20 minutos hasta que estén doradas y crujientes.

4 Sáquelas del horno y déjelas escurrir sobre papel de cocina. Sírvalas calientes o frías.

Palitos de pescado caseros con cuñas de boniato

INGREDIENTES

se obtienen entre 8 y 10 palitos

280 g de filetes gruesos de bacalao sin piel ni espinas

harina, para espolvorear

1 cucharadita de pimentón

sal y pimienta

pan fresco recién rallado o harina de maíz, para rebozar

1 huevo batido

aceite de girasol, para freír

guisantes (frescos o congelados) hervidos, para acompañar

CUÑAS DE BONIATO

450 g de boniatos limpios y cortados en cuñas

1 cucharada de aceite de oliva

1 Para preparar las cuñas de boniato, precaliente el horno a 200 °C.

2 Seque los boniatos con un paño de cocina limpio. Ponga el aceite en una bandeja de horno y caliéntelo unos minutos. Coloque los boniatos en la bandeja y hornéelos durante 30–35 minutos, dándoles la vuelta a mitad de cocción, hasta que estén tiernos y dorados.

3 Corte el bacalao en tiras de 2 cm de ancho.

4 Ponga la harina en un plato, incorpore el pimentón y salpimiente al gusto. Eche el pan rallado en otro plato. Reboce las tiras de bacalao en la harina salpimentada, sacuda el exceso y páselas por el huevo batido. A continuación, rebócelas en el pan rallado hasta que queden recubiertas de manera homogénea.

5 Caliente aceite suficiente para cubrir el fondo de una sartén grande antiadherente. Disponga las varitas de pescado en la sartén (tal vez deba hacerlas en tandas) y fríalas durante 3 o 4 minutos por cada lado o hasta que estén crujientes y doradas. Si es necesario, escúrralas sobre papel de cocina antes de servirlas con las cuñas de boniato y guisantes.

Cazuela de dos pescados

INGREDIENTES

para 4-6 personas

85 g de penne o macarrones

1 huevo

2 cucharaditas de aceite de oliva y un poco más para añadirlo a la pasta

1 cebolla pequeña, 1 tallo de apio pequeño y 1 zanahoria pequeña pelada, bien picados

un puñado pequeño de hojas de espinaca, sin los tallos y desmenuzadas

½ taza de leche

2 cucharadas de nata para montar

¼ taza de queso *cheddar* curado rallado

½ cucharadita de mostaza inglesa

90 g de abadejo ahumado sin colorante, sin piel y sin espinas

140 g de pescado blanco sin piel ni espinas

85 g de *mozzarella* cortada en dados

1 Precaliente el horno a 200 °C. A continuación, hierva la pasta siguiendo las instrucciones del paquete hasta que esté tierna. Escúrrala bien, añada un poco de aceite y remueva.

2 En una cacerola pequeña, lleve agua a ebullición e incorpore el huevo. Cuézalo entre 8 y 10 minutos hasta que esté duro. Enfríelo bajo el grifo.

3 Caliente el aceite en una sartén de fondo pesado. Añada la cebolla y saltéela durante 5 minutos hasta que esté tierna. A continuación, añada el apio y la zanahoria, y saltéelos durante 3 minutos más. Agregue las espinacas y saltéelas otros 2 minutos hasta que estén tiernas.

4 Incorpore la leche y la nata, y lleve a ebullición. Apague el fuego y añada el queso *cheddar* y la mostaza.

5 Ponga el pescado en una fuente refractaria pequeña. Pele el huevo duro, píquelo, espárzalo sobre el pescado y riéguelo todo con la salsa. Disponga la pasta por encima y esparza la *mozzarella*. Hornee entre 20 y 25 minutos hasta que la parte superior esté dorada.

Tortitas de salmón

INGREDIENTES

700 g de filete de salmón sin piel, cortado en dados

1¼ tazas de leche entera

1 hoja de laurel

100 g de brócoli hervido (hasta que esté tierno)

700 g de patatas hervidas y machacadas

2 cucharadas de perejil fresco picado

4 cucharadas de harina integral

pimienta

1 yema de huevo

2 huevos grandes batidos

2¾ tazas de pan fresco integral rallado

2 cucharadas de aceite de oliva

se obtienen 12 tortitas

1 Precaliente el horno a 200 °C. Ponga el salmón en una cacerola con la leche y la hoja de laurel, y lleve poco a poco al punto de ebullición. Deje hervir a fuego lento durante 2 minutos, retire la cacerola del fuego, deseche la hoja de laurel, y deje enfriar el pescado dentro de la leche. Cuando esté frío, sáquelo con una espumadera y escúrralo sobre papel de cocina.

2 Desmenuce el pescado en un cuenco grande. Pase el brócoli por la batidora hasta obtener una mezcla homogénea. Añada el pescado y las patatas machacadas, el perejil, 1 cucharada de harina y pimienta al gusto. Agregue la yema de huevo y mezcle bien. Si la mezcla está un poco seca, añada un poco de la leche utilizada para cocer el pescado; si está demasiado húmeda, agregue un poco más de harina.

3 Divida la mezcla en 12 porciones y deles forma de tortita. Ponga los huevos batidos, el resto de la harina y el pan rallado en 3 platos. Reboce cada tortita de pescado en la harina, en el huevo y en el pan rallado, sucesivamente.

4 Caliente en el horno el aceite en una bandeja antiadherente durante 5 minutos. Añada las tortitas de pescado, hornéelas durante 10 minutos, deles la vuelta y hornéelas otros 10 minutos más.

Salmón con arroz frito

INGREDIENTES

para ❷ personas

200 g de filete de salmón sin piel

2 cucharaditas de miel clara

1 cucharada de salsa de soja clara

3 cucharaditas de aceite vegetal

1 zanahoria pequeña bien picada

2 cucharadas de guisantes congelados

½ pimiento rojo sin pepitas y troceado

1 huevo batido

85 g de arroz *basmati* hervido

1 cebolleta cortada en rodajas finas

espinacas o *bok choy* ligeramente hervidos, para acompañar

1 Corte el salmón en 2 trozos y póngalos en una fuente llana. Mezcle la miel y la salsa de soja, y pinte el salmón con la mezcla. Deje reposar durante 10 minutos.

2 Caliente 2 cucharaditas de aceite en una sartén y saltee las zanahorias durante 5 minutos. Añada los guisantes y el pimiento, y saltéelos otros 5 minutos hasta que estén tiernos. Añada el huevo batido y deje cocer a fuego lento, removiendo y desmenuzando el huevo. Agregue el arroz hervido y caliéntelo unos minutos.

3 Caliente el resto del aceite en una sartén pequeña y fría el salmón durante 2 o 3 minutos por cada lado. Si lo prefiere, haga el pescado bajo el gratinador del horno. Incorpore la cebolleta al arroz. Sirva el salmón sobre un lecho de espinacas y acompañado por el arroz frito con huevo.

Pasta con salmón y brócoli

INGREDIENTES

para 4 personas

400 g de conchas de pasta, pajaritas o tagliatelle

225 g de ramilletes de brócoli

1 cucharada de aceite de oliva

2 cucharadas de mantequilla

1 puerro bien picado

200 g de queso fresco, suave, al ajo y finas hierbas

6 cucharadas de leche entera

100 g de trozos de salmón ahumado

sal y pimienta

1 Hierva la pasta siguiendo las instrucciones del paquete hasta que esté tierna y escúrrala. Mientras, cueza al vapor el brócoli entre 8 y 10 minutos o hasta que esté tierno.

2 Al mismo tiempo, prepare la salsa. Caliente el aceite y la mantequilla en una sartén pequeña de fondo pesado, añada el puerro y saltéelo durante 7 minutos o hasta que esté tierno. Incorpore poco a poco el queso y la leche, y caliéntelo todo.

3 Agregue los trozos de salmón ahumado y hágalos aproximadamente 1 minuto hasta que se pongan opacos. Mezcle la salsa con la pasta y el brócoli, y remueva bien. Salpimiente.

Brochetas de salmón con miel

INGREDIENTES

para 2 personas

4 filetes de salmón sin espinas de unos 140 g cada uno, sin piel y cortados en dados de 2 cm

1 cucharada de semillas de sésamo tostadas (opcional)

arroz hervido, para servir

ADOBO

2 cucharadas de miel clara

1 cucharada de salsa de soja

1 cucharada de aceite de oliva

1 cucharadita de aceite de sésamo tostado

1 Mezcle los ingredientes del adobo en un plato llano. Agregue el salmón y remuévalo para que se embadurne bien. Deje adobar en el frigorífico durante 1 hora, dando la vuelta al pescado de vez en cuando.

2 Precaliente el gratinador del horno a potencia alta. Ensarte los dados de salmón en 4–6 pinchos. Forre una rejilla de horno con papel de aluminio y coloque las brochetas encima. Pinte el salmón con el adobo y áselo bajo el gratinador entre 3 y 5 minutos, dando la vuelta a las brochetas de vez en cuando, hasta que el pescado esté hecho.

3 Mientras se hace el salmón, ponga el resto del adobo en una cacerola pequeña y caliéntelo unos minutos hasta que haya reducido y se haya espesado.

4 Sirva las brochetas con arroz. Riegue el salmón con el resto del adobo y esparza por encima las semillas de sésamo, si las utiliza.

Pastel de pescado

INGREDIENTES

para 4 personas

1 cucharada de aceite de oliva

1 cebolla bien picada

1 tallo de apio y 1 zanahoria pelada, bien picados

un puñado pequeño de hojas de espinaca, sin los tallos y desmenuzadas

1 taza de leche y 4 cucharadas de nata para montar

½ taza de queso *cheddar* curado rallado

1 cucharadita de mostaza de *Dijon*

2 cucharadas de perejil fresco bien picado

1 chorrito de zumo de limón recién exprimido

sal y pimienta

225 g de abadejo ahumado sin colorante, sin piel ni espinas, cortado en dados

225 g de filete de bacalao sin piel ni espinas

2 huevos duros

1 lámina de hojaldre preparado, descongelado si no lo utiliza fresco

1 huevo batido para glasear

1 Precaliente el horno a 200 °C.

2 Caliente el aceite en una sartén de fondo pesado. Agregue la cebolla y saltéela durante 5 minutos o hasta que esté tierna. Añada el apio y la zanahoria, y saltéelos durante 3 minutos. Incorpore las espinacas y saltéelas otros 2 minutos o hasta que estén tiernas.

3 Vierta la leche y la nata, y lleve a ebullición. Apague el fuego y agregue el queso *cheddar*, la mostaza, el perejil y el zumo de limón. Salpimiente al gusto.

4 Ponga el pescado en una fuente refractaria. Pele y pique el huevo y espárzalo sobre el pescado. Añada por encima la salsa de verduras cremosa.

5 Ponga la masa de hojaldre en una superficie ligeramente enharinada. Moldee formas de peces y de estrellas utilizando un cortador de galletas, y colóquelas sobre el pastel de pescado. Pinte las formas de masa con huevo batido y hornee entre 20 y 25 minutos o hasta que el pescado esté hecho y las pastas hayan subido y tengan un color dorado claro.

Arroz con abadejo

INGREDIENTES

para 4 personas

450 g de filetes de abadejo o bacalao ahumado

leche o agua para cocer el pescado a fuego lento

2 tazas de agua

1 taza de arroz *basmati* aclarado

1 hoja de laurel

2 clavos de especia

4 cucharadas de mantequilla

½ taza de guisantes congelados

1 cucharadita de *garam masala*

½ cucharadita de cúrcuma molida

sal y pimienta

2 cucharadas de perejil picado

4 huevos duros cortados en cuartos

1 Ponga el abadejo en una cacerola grande y vierta agua o leche suficiente para cubrirlo. Cuézalo a fuego lento durante 5 minutos hasta que esté hecho y opaco. Retire el abadejo de la cacerola y desmenuce el pescado, quitando la piel y cualquier espina. Deseche el líquido de cocción.

2 Mientras, ponga el arroz en otra cacerola y cúbralo con las 2 tazas de agua. Añada la hoja de laurel y los clavos de especia. Lleve a ebullición y a continuación baje el fuego y deje cocer a fuego lento, con la cacerola tapada, durante 15 minutos o hasta que el agua se haya absorbido y el arroz esté tierno. Deseche la hoja de laurel y los clavos de especia. Reserve la cacerola tapada.

3 Derrita la mantequilla a fuego lento en la primera cacerola una vez limpia, incorpore los guisantes y rehóguelos durante 2 minutos o hasta que estén tiernos. Añada el *garam masala* y la cúrcuma, y siga rehogando otro minuto.

4 Agregue el abadejo y el arroz, y remueva hasta que estén bien recubiertos con la mantequilla especiada.

5 Salpimiente y caliente durante 1 o 2 minutos. Incorpore el perejil y disponga encima los huevos duros justo antes de servir.

Paella mixta

INGREDIENTES

para 2-3 personas

2 cucharadas de aceite de oliva

1 cebolla cortada en dados

2 pechugas de pollo sin piel y fileteadas

1 pimiento rojo pequeño sin pepitas y cortado en dados

2 dientes de ajo picados

1 tomate sin pepitas y troceado

1 cucharada de concentrado de tomate

una pizca de azafrán

2½ tazas de caldo de pollo o de verdura

1 taza rasa de arroz para paella

½ taza de guisantes congelados

115 g de gambas hervidas, descongeladas si no son gambas frescas

sal y pimienta

1 Caliente el aceite en una sartén grande de fondo pesado (con tapa). Incorpore la cebolla y saltéela durante 5 minutos o hasta que esté tierna. Añada la pechuga de pollo, el pimiento y el ajo, y saltéelos durante 5 minutos a fuego medio, removiendo con frecuencia para que la mezcla no se pegue.

2 Agregue a la cacerola el tomate natural, el concentrado, el azafrán y el caldo. Añada el arroz, lleve a ebullición y baje el fuego. Deje cocer el arroz a fuego lento, con la sartén tapada, durante 15 minutos o hasta que el arroz esté tierno.

3 Agregue los guisantes y las gambas, salpimiente y deje cocer otros 2 o 3 minutos, o hasta que las gambas se hayan calentado.

Arroz al coco con gambas

INGREDIENTES

para 4 personas

1 taza de setas chinas secas

2 cucharadas de aceite vegetal o de cacahuete

6 cebolletas picadas

½ taza rasa de coco seco sin azúcar añadido

1 guindilla verde fresca sin pepitas y picada

1 taza colmada de arroz jazmín

⅔ taza de caldo de pescado

1¾ tazas de leche de coco

350 g de gambas hervidas peladas

6 ramitas de albahaca tailandesa fresca

1 Ponga las setas en un cuenco pequeño, cúbralas con agua caliente y deje que se hidraten durante 30 minutos. Escúrralas, deseche los pies y corte los sombreretes en láminas.

2 Caliente el aceite en un *wok* y saltee las cebolletas, el coco y la guindilla durante 2 o 3 minutos, hasta que estén un poco dorados. Añada las setas y saltee durante 3 o 4 minutos.

3 Incorpore el arroz y saltee durante 2 o 3 minutos. Vierta el caldo y lleve a ebullición. A continuación, baje el fuego y añada la leche de coco. Deje cocer a fuego lento entre 10 y 15 minutos hasta que el arroz esté tierno. Agregue las gambas y la albahaca, caliente y sirva.

4 Verduras

Las verduras son esenciales para la salud, pero a veces resulta difícil que los niños se las coman. Pruebe con platos que lleven maíz o zanahorias (por su colorido, suelen gustar a los niños). Las verduras bien picadas o en puré son más fáciles de masticar y tragar. Puede esconderlas en nutritivas sopas o servirlas como parte de un plato energético, como huevos, pasta o alubias. Las tortillas de verduras, la lasaña y las hamburguesas de alubias suelen triunfar entre los niños de todas las edades.

Minestrone

INGREDIENTES

1 cucharada de aceite de girasol

2 cucharadas de cebolla picada

1 diente de ajo picado

½ cucharadita de condimento de hierbas italiano

1¼ tazas de zanahoria troceada

2 cucharaditas de apio muy bien picado y ¼ taza de patatas peladas y troceadas

1¼ tazas de caldo de pollo o de verduras, sin sal

½ taza rasa de tomates escurridos y 1 cucharadita de concentrado de tomate

25 g de fideos *vermicelli* secos partidos en trozos pequeños

1 cucharada de guisantes congelados

10 hojas de espinaca tierna lavadas

palitos de queso, para acompañar

para ❷-❹ personas

1 Para preparar la sopa, caliente el aceite en una cacerola pequeña. Incorpore la cebolla y rehóguela unos minutos hasta que esté tierna pero no dorada. Añada el ajo, el condimento, la zanahoria, el apio y las patatas, y deje cocer durante 1 o 2 minutos.

2 Agregue el caldo, los tomates escurridos y el concentrado de tomate. Lleve a ebullición, añada la pasta y los guisantes, y deje cocer a fuego lento durante unos 10 minutos hasta que las verduras estén tiernas.

3 Incorpore las hojas de espinaca, retire la cacerola del fuego y deje que se enfríe un poco antes de servir junto con los palitos de queso.

Pasta con verduras y queso

INGREDIENTES

se obtienen entre 4 y 6 porciones

4 ramilletes de brócoli cortados en trozos pequeños

4 ramilletes de coliflor cortados en trozos pequeños

85 g de *penne* pequeños o farfalle

SALSA DE QUESO

1½ cucharadas de mantequilla sin sal o margarina

1 cucharada de harina

¾ taza de leche

½ cucharadita de orégano seco

½ taza de queso *cheddar* rallado

1 Cueza al vapor el brócoli y la coliflor entre 8 y 10 minutos hasta que estén tiernos. Hierva la pasta siguiendo las instrucciones del paquete hasta que esté tierna y escúrrala.

2 Mientras, prepare la salsa de queso. Derrita la mantequilla en una cacerola pequeña de fondo pesado a fuego lento. Incorpore poco a poco la harina, al tiempo que bate bien para obtener una pasta homogénea. Deje cocer durante 30 segundos, sin dejar de remover. Añada la leche, poco a poco, removiendo constantemente para que no se formen grumos. Incorpore el orégano y deje cocer a fuego lento durante 2 minutos hasta que la mezcla esté homogénea y cremosa. Agregue el queso y remueva hasta que se funda.

3 Añada la pasta y las verduras hervidas a la cacerola, y remueva bien. Pique bien o machaque la mezcla.

Fideos chinos

INGREDIENTES

para 4 personas

un paquete de 250 g de tofu escurrido y cortado en dados

250 g de fideos medianos

1 cucharada de aceite de cacahuete o vegetal

1 pimiento rojo sin pepitas y cortado en rodajas, 225 g de ramilletes de brócoli y 175 g de mazorcas de maíz mini partidas por la mitad a lo largo

2–3 cucharadas de agua

2 cebolletas cortadas en rodajas finas

1 cucharada de semillas de sésamo tostadas (opcional)

sal

ADOBO

1 diente de ajo bien picado

un trozo de 2,5 cm de jengibre fresco pelado y rallado

1 cucharadita de aceite de sésamo

1 cucharada de miel clara

2 cucharadas de salsa de soja oscura

1 Mezcle los ingredientes del adobo en un plato llano. Incorpore el tofu y riéguelo con el adobo. Póngalo en el frigorífico durante 1 hora para que se macere, dando la vuelta al tofu de vez en cuando para que absorba todos los sabores.

2 Precaliente el horno a 200 °C. Con una espumadera, retire el tofu del adobo y reserve el líquido. Ponga el tofu en una bandeja de horno y áselo durante 20 minutos, dándole la vuelta de vez en cuando hasta que los trozos estén totalmente dorados y crujientes.

3 Mientras, hierva los fideos en abundante agua con sal siguiendo las instrucciones del paquete hasta que estén tiernos. Escúrralos, aclárelos bajo el grifo y escúrralos de nuevo.

4 Caliente un *wok* o una sartén de fondo pesado e incorpore el aceite. Añada el pimiento, el brócoli y el maíz, y saltee, sin dejar de remover, a fuego medio-vivo entre 5 y 8 minutos o hasta que las verduras se hayan ablandado un poco. Agregue el agua y siga salteando hasta que las verduras estén tiernas pero ligeramente crujientes.

5 Incorpore el adobo, los fideos, el tofu y las cebolletas, y saltee todo hasta que se caliente. Esparza las semillas de sésamo (si las utiliza) y sirva.

Lasaña de verduras

INGREDIENTES

se obtienen entre 3 y 4 lasañas individuales

1 cucharada de aceite de oliva

1 cebolla roja picada

1 diente de ajo majado y picado

100 g de calabacín cortado en rodajas

100 g de espinacas tiernas lavadas y troceadas

250 g de queso *ricotta*

3–4 láminas de lasaña fresca

1¾ tazas de salsa de tomate o de verduras

1¾ tazas de salsa de queso (véase pág. 114)

100 g de *mozzarella* troceada

½ taza de queso *parmesano* fresco rallado

1 Precaliente el horno a 190 °C.

2 Caliente el aceite en una cacerola, añada la cebolla y el ajo, y rehóguelos a fuego muy lento durante unos 10 minutos hasta que estén tiernos. Incorpore el calabacín y rehóguelo 2 o 3 minutos más. A continuación, añada las espinacas y remueva hasta que se ablanden. Retire la cacerola del fuego, deje que se enfríe y deseche los líquidos que pueda contener.

3 Mezcle las verduras hervidas con la *ricotta*. Si es necesario, escalde la lasaña siguiendo las instrucciones del paquete. Corte cada lámina de lasaña en trozos que quepan en fuentes refractarias individuales cuadradas de 12 cm de lado. Vierta un poco de salsa de tomate en cada fuente. Disponga capas sucesivas de lasaña, mezcla de *ricotta* y salsa de tomate en cada una de las fuentes. Acabe con otra capa de lasaña. Riegue la lasaña con la salsa de queso y esparza por encima la *mozzarella* y el *parmesano*.

4 Hornee entre 20 y 25 minutos hasta que el queso esté dorado.

Sopa de alubias y pasta

INGREDIENTES

4 cucharadas de aceite de oliva

1 cebolla bien picada

1 tallo de apio picado

1 zanahoria pelada y cortada en dados

1 hoja de laurel

5 tazas de caldo de verduras bajo en sal

400 g de tomates en conserva troceados

175 g de pasta, como pajaritas, conchas o hélices

400 g de alubias blancas en conserva escurridas y aclaradas

sal y pimienta

200 g de espinacas o acelgas, sin los tallos y desmenuzadas

⅓ taza de queso *parmesano* rallado

para 4 personas

1 Caliente el aceite en una cacerola grande de fondo pesado. Incorpore la cebolla, el apio y la zanahoria y saltéelos a fuego medio entre 8 y 10 minutos, removiendo de vez en cuando, hasta que las verduras estén tiernas.

2 Agregue la hoja de laurel, el caldo y los tomates troceados, y lleve a ebullición. Baje el fuego, tape la cacerola y deje cocer a fuego lento durante 15 minutos o hasta que las verduras estén tiernas.

3 Añada la pasta y las alubias, lleve la sopa de nuevo a ebullición y deje cocer durante 10 minutos o hasta que la pasta esté tierna. Remueva de vez en cuando para que no se pegue y se queme.

4 Salpimiente al gusto, añada las espinacas y deje cocer otros 2 minutos o hasta que estén tiernas. Sirva con el queso *parmesano* espolvoreado por encima.

Crema de tomate

INGREDIENTES

para 4 personas

1 cucharada de mantequilla

½ cebolla roja picada

1 puerro picado

1 diente de ajo majado

1 zanahoria pelada y rallada

1 patata pelada y rallada

1½ tazas de caldo de verduras bajo en sal

500 g de tomates maduros pelados, sin pepitas y picados

1 cucharada de concentrado de tomate

sal y pimienta

⅔ taza de leche entera

cebollino picado, para decorar (opcional)

panecillos integrales, para acompañar

1 Derrita la mantequilla en una cacerola grande a fuego lento y rehogue la cebolla, el puerro y el ajo durante 10 minutos o hasta que estén tiernos pero no dorados.

2 Incorpore la zanahoria y la patata, y rehogue otros 5 minutos.

3 Añada el caldo y llévelo a ebullición.

4 Incorpore los tomates y el concentrado de tomate, y salpimiente al gusto. Deje cocer a fuego lento durante 15 minutos hasta que las verduras estén muy tiernas. Añada la leche y caliente. Pase la sopa por la batidora o por el robot de cocina hasta que quede homogénea. Si lo desea, puede colar la sopa.

5 Vierta la sopa de nuevo en la cacerola una vez aclarada y caliéntela a fuego lento. Decore la sopa con el cebollino picado, si lo desea, y sírvala con panecillos integrales.

Ensalada tibia de pasta

INGREDIENTES

para 4 personas

5 cucharadas de aceite de oliva y 1 cucharada de zumo de limón

2 dientes de ajo chafados y picados

1 cucharadita de romero fresco y 2 cucharaditas de tomillo fresco, picados

1 cebolla roja cortada en 8 gajos

1 pimiento rojo y 1 pimiento amarillo, sin pepitas y cortados en rodajas gruesas

4 calabacines pequeños cortados en cuartos y a lo largo

4 tomates pera cortados en cuartos

250 g de *penne*

1 cucharada de vinagre de vino blanco

1 cucharada de pesto

200 g de queso *feta* desmenuzado

un puñado de hojas de rúcula tiernas

1 Precaliente el horno a 200 °C.

2 Ponga 2 cucharadas de aceite, el zumo de limón, el ajo y las hierbas en una fuente de horno grande. Incorpore la cebolla y los pimientos, y embadúrnelos bien con la mezcla. Ase todo en el horno entre 10 y 15 minutos. Añada el calabacín y los tomates, y hornee otros 10–15 minutos hasta que las verduras estén tiernas y ligeramente quemadas por los extremos. Saque las verduras del horno y deje que se enfríen.

3 Mientras, hierva la pasta siguiendo las instrucciones del paquete. Escúrrala y póngala en un cuenco grande. Mezcle el resto del aceite, el vinagre y el pesto, y vierta la mezcla sobre la pasta. Agregue las verduras asadas frías y el queso, y remueva con cuidado. Esparza la rúcula por encima y sirva la ensalada tibia.

Arroz chino con tortilla

INGREDIENTES

2 cucharaditas de aceite vegetal

unas gotas de aceite de sésamo

1 diente de ajo pequeño bien picado

una pizca de mezcla de cinco especias chinas

1 zanahoria pelada y cortada en dados

2 mazorcas de maíz mini partidas por la mitad y en rodajas finas

2 cucharadas de agua

un puñado pequeño de espinacas, sin los tallos y cortadas en tiras

1¼ tazas de arroz blanco o integral hervido, frío

un poquito de salsa de soja

1 cucharadita de semillas de sésamo (opcional)

un poco de mantequilla sin sal

1 huevo batido

para 2 personas

1 Caliente el aceite vegetal y el aceite de sésamo en un *wok* o en una sartén de fondo pesado. Incorpore el ajo, la mezcla de cinco especias, la zanahoria y el maíz mini, y saltee durante 5 minutos, removiendo continuamente para que las especias y las verduras no se peguen y se quemen.

2 Añada el agua y saltee durante 2 minutos. Agregue las espinacas y cuézalas, removiendo sin parar, otros 2 minutos o hasta que las verduras estén tiernas.

3 Incorpore el arroz y un chorrito de salsa de soja al *wok* o a la sartén, y caliéntelo bien. Añada las semillas de sésamo, si las utiliza.

4 Mientras, derrita la mantequilla en una pequeña sartén de fondo pesado, eche el huevo y procure que éste cubra toda la base de la sartén. Cuando el huevo haya cuajado, pase la tortilla a un plato y córtela en tiras o en trozos.

5 Ponga el arroz en un cuenco y coloque encima las tiras de tortilla en cruz.

Buñuelos de maíz con queso

INGREDIENTES

se obtienen entre 4 y 6 buñuelos

1 huevo

1 taza de leche

¾ taza de harina

½ cucharadita de levadura en polvo

85 g de granos de maíz en conserva sin sal ni azúcar escurridos

4 cucharadas de queso *cheddar* rallado

1 cucharadita de cebollino fresco picado

2 cucharaditas de aceite de girasol para freír

maíz adicional y palitos de zanahoria, para acompañar

1 Eche el huevo y la leche en un cuenco pequeño y bata con un tenedor. Incorpore la harina y la levadura, y bata hasta obtener una mezcla homogénea. Agregue el maíz, el queso y el cebollino. Caliente un poco de aceite de girasol en una sartén e incorpore cucharaditas o cucharadas de la masa en el aceite. Fría la masa 1 o 2 minutos por cada lado hasta que los buñuelos se hinchen y estén dorados.

2 Deje escurrir los buñuelos sobre papel de cocina y sirva con maíz adicional y palitos de zanahoria.

Tortilla de verduras

INGREDIENTES

para 2-4 personas

1 cucharada de aceite de girasol

½ cebolla pequeña picada

200 g de patatas mantecosas en dados

½ pimiento rojo sin pepitas y cortado en rodajas finas

1 calabacín pequeño cortado en dados

1 cucharada de perejil fresco picado

2 cucharadas de guisantes congelados

3 huevos batidos

1 Caliente el aceite en una sartén antiadherente de 20 cm de diámetro. Incorpore la cebolla y saltéela durante 5 minutos hasta que esté tierna. Agregue las patatas y saltéelas a fuego lento durante unos 10 minutos hasta que estén blandas. Añada el pimiento, el calabacín, los guisantes y el perejil, y saltee durante 2 o 3 minutos.

2 Bata los huevos con 1 cucharada de agua fría. Incorpore las verduras a la sartén. Haga la tortilla a fuego lento durante 5–10 minutos o hasta que la mezcla empiece a cuajar por encima y esté dorada por debajo al levantar con una espátula.

3 Ponga la tortilla bajo el gratinador del horno durante 1 o 2 minutos hasta que la parte superior esté hecha y dorada. Deje enfriar la tortilla y córtela en cuñas o tiras para servirla.

Lasaña de verduras asadas

INGREDIENTES

para 4 personas

3 cucharadas de aceite de oliva

4 calabacines partidos por la mitad a lo largo y cortados en rodajas finas, 3 pimientos rojos sin pepitas troceados, 1 berenjena troceada, 2 cebollas rojas picadas y 5 chalotes pelados y cortados en cuartos

250 g de champiñones blancos

400 g de tomates en conserva troceados y 1 cucharada de concentrado de tomate

sal y pimienta

200 g de pasta fresca para lasaña

2 cucharadas de queso *parmesano* rallado

SALSA DE QUESO

3½ cucharadas de mantequilla

⅓ taza colmada de harina

2½ tazas de leche

¾ taza colmada de queso *cheddar* rallado

1 Precaliente el horno a 190 °C. Vierta el aceite en un recipiente grande, incorpore el calabacín, los pimientos, la berenjena, las cebollas y los chalotes, y remueva todo bien.

2 Reparta las verduras en 2 bandejas de horno y áselas durante 30–40 minutos hasta que estén tiernas y con manchas doradas. Agregue los champiñones blancos tras 20 minutos.

3 Saque las verduras del horno y póngalas en un cuenco grande. Añada los tomates y el concentrado de tomate, y mezcle bien.

4 Para preparar la salsa de queso derrita la mantequilla en una cacerola a fuego lento. Incorpore la harina y rehóguela, sin dejar de remover, durante 2 o 3 minutos. Añada poco a poco la leche y deje cocer, removiendo en todo momento, hasta que la salsa se espese y quede homogénea. Salpimiente al gusto y agregue el queso *cheddar*.

5 Disponga en capas la mezcla de verduras, la salsa y la pasta para lasaña en una fuente refractaria, acabando con una capa de salsa. Espolvoree por encima el *parmesano* y hornee durante 30–35 minutos.

6 Saque la lasaña del horno y sírvala caliente junto con una ensalada verde.

Hamburguesas de alubias

INGREDIENTES

400 g de alubias blancas en conserva escurridas y aclaradas

2 cucharadas de pesto rojo

1⅜ tazas de pan fresco integral rallado

1 huevo

sal y pimienta

2 cucharadas de aceite de oliva

½ cebolla roja pequeña picada

1 diente de ajo majado

6 panecillos integrales

6 cucharaditas de *hummus*

6 tomates *cherry* cortados en rodajas

pepino o pepinillos cortados en rodajas

lechuga, para acompañar

se obtienen 6 hamburguesas

1 Machaque las alubias con un pasapuré en un cuenco hasta obtener una pasta homogénea. Añada el pesto, el pan rallado, el huevo y una pizca de sal y pimienta al gusto, y mezcle bien.

2 Caliente la mitad del aceite en una sartén antiadherente a fuego lento y rehogue la cebolla y el ajo hasta que estén tiernos. Incorpore a la mezcla de alubias y remueva bien.

3 Caliente el resto del aceite en la sartén. Vierta con una cuchara 6 montoncitos separados de la mezcla de alubias y presione cada uno con la parte posterior de una cuchara para darles forma de hamburguesa.

4 Fría las hamburguesas 4 o 5 minutos, deles la vuelta con cuidado y fríalas otros 4 o 5 minutos hasta que estén doradas.

5 Mientras, parta los panecillos por la mitad y extienda *hummus* en cada una de las mitades.

6 Retire las hamburguesas de la sartén y escúrralas sobre papel de cocina. Ponga cada hamburguesa en un panecillo, coloque encima el tomate, el pepino y la lechuga, y sirva.

Timbal crujiente de verduras

INGREDIENTES

para 4 personas

2 cucharadas de mantequilla y un poco más para untar

750 g de patatas cortadas en rodajas finas

3 cucharadas de aceite de oliva

1 diente de ajo majado

1 cucharadita de hojas de orégano fresco

1 puerro grande troceado

2 chirivías peladas y ralladas

3 zanahorias peladas y ralladas

½ bulbo de apio pelado y rallado

sal y pimienta

200 g de queso *feta* desmenuzado

4 huevos

ensalada verde, para acompañar

1 Precaliente el horno a 190 °C. Unte con mantequilla una fuente de horno redonda de 20 cm de diámetro.

2 Hierva las rodajas de patata en una cacerola grande de agua hirviendo durante 5 minutos. Escúrralas y cúbralas con un paño limpio.

3 Derrita la mitad de la mantequilla con 1 cucharada de aceite en una sartén grande y rehogue el ajo, el orégano y el puerro durante 3 o 4 minutos. Retírelos con una espumadera y páselos a una fuente. Incorpore el resto del aceite a la sartén y rehogue las chirivías, las zanahorias y el apio durante 10 minutos hasta que estén tiernos. Salpimiente al gusto y rehogue 5 minutos. Agregue la mezcla de puerro.

4 Disponga la mitad de las rodajas de patata en el fondo de la fuente y coloque encima la mitad de la mezcla de verduras y la mitad del queso. Cubra con la otra mitad de la mezcla de verduras y el queso y termine colocando las rodajas de patata restantes. Esparza el resto de la mantequilla y hornee durante 40 minutos hasta que el timbal esté dorado y crujiente.

5 Cinco minutos antes de servir, escalfe los huevos. Sirva el timbal de verduras con los huevos escalfados encima y acompañado por una ensalada verde.

5 Merienda

El apetito de los niños es impredecible, pero siempre les apetece una buena merienda. Es una comida especialmente importante ya que sus niveles de energía pueden estar bajos tras haber pasado todo el día en el colegio. Este capítulo incluye meriendas dulces y saladas como bocadillos y deliciosas *minipizzas*. También contiene recetas muy sanas como bocaditos de avena, nachos o fruta con salsa de frambuesas.

Sabrosos rellenos para sandwich

INGREDIENTES

para 4-6 sándwiches

ATÚN Y MAÍZ

200 g de atún en conserva al natural escurrido y desmenuzado

1 cucharada de maíz en conserva escurrido

1 cucharada de pimiento troceado

1 cucharada de mayonesa

QUESO CON FRUTAS

100 g de *ricotta* o queso fresco bajo en calorías

1 cucharada de dátiles sin hueso picados

2 cucharadas de orejones remojados sin hueso picados

POLLO Y AGUACATE

½ pechuga de pollo cocida bien picada

½ aguacate pequeño machacado con 2 cucharaditas de zumo de limón

1 Mezcle los ingredientes del relleno y consérvelos en el frigorífico hasta el momento de utilizarlos.

Hummus con verduras crujientes

INGREDIENTES

200 g de garbanzos en conserva sin sal ni azúcar, escurridos y aclarados

½ diente de ajo majado

3 cucharadas de *tahini*

zumo de limón recién exprimido, al gusto

1 cucharada de yogur natural

palitos de zanahoria, de pimiento rojo y de pepino, y gajos de manzana, para acompañar

se obtienen 10 raciones

1 Pase los garbanzos por la batidora junto con el ajo, el *tahini*, el zumo de limón y el yogur hasta obtener una pasta homogénea.

2 Puede conservar el *hummus* en el frigorífico hasta un máximo de 3 días. Sírvalo con palitos de zanahoria, de pimiento rojo y de pepino, y con cuñas de manzana.

Bocadillo gratinado

INGREDIENTES

1 pan rústico redondo de unos 17,5 cm de diámetro

1½ tazas de queso *cheddar* en láminas finas o rallado grueso

1 aguacate grande partido por la mitad, sin corazón, pelado y cortado en rodajas

2 tomates partidos por la mitad y cortados en gajos finos

12 espárragos hervidos o en conserva

4 lonchas de jamón serrano

aceite de oliva

pimienta

para 4 personas

1 Corte la parte superior del pan y resérvela para otro uso. Corte el pan en dos capas, de modo que la base sea más gruesa. Ponga la base sobre un trozo grande de papel de aluminio.

2 Precaliente el gratinador del horno. Tueste la parte de arriba de la capa superior del pan hasta que esté dorada, dele la vuelta y dispóngala sobre el papel de aluminio.

3 Esparza ¾ taza colmada de queso sobre las dos capas de pan. Disponga el aguacate y los gajos de tomate sobre la capa inferior, y esparza la mitad del queso restante. Coloque encima los espárragos y el jamón, de manera que cubran por completo los extremos de los ingredientes que quedan debajo. Esparza el resto del queso y riegue con un poco de aceite de oliva.

4 Gratine lejos de la fuente de calor entre 3 y 5 minutos. Retire primero la capa superior coronada con queso cuando éste burbujee. Gratine la capa inferior hasta que el queso se haya fundido y el jamón esté dorado.

5 Corte la capa de queso tostado en 8 cuñas y colóquelas superpuestas sobre el relleno, alternando los lados sin queso y con queso hacia arriba. Sirva inmediatamente cortado en 4 cuñas.

Bocaditos de guacamole

INGREDIENTES

2 tortillas blandas

GUACAMOLE

½ aguacate sin corazón y con la pulpa extraída

½ diente de ajo majado

un chorrito de zumo de limón recién exprimido

se obtienen 2 raciones

1 Para elaborar el guacamole, ponga el aguacate, el ajo y el zumo de limón en un cuenco. Macháquelo todo con un tenedor hasta obtener una mezcla relativamente homogénea y cremosa.

2 Caliente las tortillas en una sartén grande seca. Extienda el guacamole sobre las tortillas y córtelas en cuñas finas o bien enróllelas.

Palitos de queso

INGREDIENTES

mantequilla o margarina, para untar

¾ taza de queso *gruyer* rallado

½ cucharadita de pimentón

375 g de hojaldre preparado, descongelado si no lo utiliza fresco

1 huevo batido

para ❹-❻ personas

1 Precaliente el horno a 200 °C. Unte una fuente de horno grande con mantequilla o margarina.

2 Mezcle el queso *gruyer* y el pimentón, y esparza la mezcla sobre la lámina de hojaldre. Doble el hojaldre por la mitad y enrolle un poco los extremos para cerrarlos.

3 Corte el hojaldre en tiras largas de 1 cm de ancho, a continuación corte cada tira por la mitad y enrósquela un poco. Póngalas en la fuente, píntelas con el huevo batido y hornéelas durante 10–12 minutos o hasta que estén crujientes y doradas. Colóquelas sobre una rejilla para que se enfríen.

Patatas con salsa de aguacate

INGREDIENTES

para 6-8 personas

4 patatas grandes para horno limpias

3 cucharadas de aceite de oliva

1 diente de ajo majado

¼ cucharadita de pimentón

½ cucharadita de copos de guindilla roja (opcional)

sal gruesa y pimienta

2 aguacates maduros sin corazón y pelados

el zumo de ½ limón

150 g de queso de cabra blando

1 Precaliente el horno a 190 °C. Unte las patatas con 1 cucharada de aceite, póngalas en una bandeja y hornéelas durante 1–1½ horas hasta que estén tiernas.

2 Saque las patatas del horno, pártalas por la mitad a lo largo, extraiga con cuidado casi toda la pulpa y póngala en un cuenco, dejando aproximadamente 1 cm de patata en la piel. Reserve la pulpa de la patata para la salsa.

3 Corte las pieles de patata en cuñas. Ponga el resto del aceite en un recipiente grande junto con el ajo, el pimentón y los copos de guindilla, y mezcle bien. Salpimiente.

4 Embadurne las cuñas de patata con el aceite picante, dispóngalas en la bandeja y hornéelas durante 20 minutos hasta que las pieles estén doradas y crujientes.

5 Mientras, para preparar la salsa, machaque en otro recipiente el aguacate con el zumo de limón, incorpore el queso y la pulpa de la patata, y macháquelo todo hasta obtener una mezcla homogénea.

6 Sirva las patatas picantes calientes, junto con la salsa repartida en cuencos pequeños.

Minipizzas de jamón y piña

INGREDIENTES

se obtienen 8 minipizzas

4 panecillos

½ taza de salsa de tomate preparada para *pizza*

2 tomates secos en aceite picados

55 g de jamón serrano

2 rodajas de piña en conserva troceadas

½ pimiento verde sin pepitas y troceado

125 g de *mozzarella* en dados

aceite de oliva para regar las minipizzas

sal y pimienta

hojas de albahaca fresca, para decorar

1 Precaliente el gratinador del horno a potencia media. Parta los panecillos por la mitad y tuéstelos un poco bajo el gratinador con la parte cortada hacia arriba.

2 Extienda la salsa de tomate sobre los panecillos y esparza los tomates secos por encima.

3 Corte el jamón serrano en tiras finas y dispóngalas sobre los panecillos junto con la piña y el pimiento. Con cuidado coloque por encima los dados de *mozzarella*. Riegue cada *minipizza* con un poco de aceite y salpimiente al gusto. Ponga las *minipizzas* bajo el gratinador y hágalas hasta que el queso se funda y burbujee. Sírvalas inmediatamente decoradas con hojas de albahaca.

Alitas de pollo al horno

INGREDIENTES

12 alitas de pollo

1 huevo

½ taza de leche

4 cucharadas colmadas de harina

1 cucharadita de pimentón

sal y pimienta

2 tazas de pan rallado

4 cucharadas de mantequilla

para ❹ personas

1 Precaliente el horno a 220 °C. Separe las alas de pollo en 3 trozos y deseche el hueso. Bata el huevo junto con la leche en un plato llano. Mezcle la harina, el pimentón y sal y pimienta al gusto en otro plato llano y ponga el pan rallado en otro plato más.

2 Introduzca los trozos de pollo en el huevo batido para que se embadurnen bien, déjelos escurrir y rebócelos en la harina condimentada. Retírelos, elimine el exceso de rebozado y pase el pollo por el pan rallado, presionándolo ligeramente con los dedos y retirando el exceso.

3 Derrita la mantequilla en el horno en una fuente llana lo bastante grande como para que quepan todos los trozos de pollo en una sola capa. Coloque el pollo en la fuente con la parte de la piel hacia abajo y hornéelo durante 10 minutos. Dele la vuelta y áselo otros 10 minutos o hasta que esté tierno y al introducir un pincho en el trozo de carne más grueso el jugo salga claro y no rosado.

4 Retire el pollo de la fuente y dispóngalo en una bandeja grande. Sírvalo caliente o a temperatura ambiente.

Nachos

INGREDIENTES

para 6 personas

175 g de nachos

400 g de alubias en conserva refritas y calientes

2 cucharadas de pimientos jalapeños en conserva bien picados

200 g de pimientos rojos en conserva o asados, escurridos y cortados en rodajas finas

sal y pimienta

1 taza de queso *gruyer* rallado

1 taza de queso *cheddar* rallado

1 Precaliente el horno a 200 °C.

2 Extienda los nachos en la base de una bandeja de horno o una fuente refractaria poco profunda. Cúbralos con las alubias refritas calentadas. Esparza los jalapeños y los pimientos por encima, y salpimiente al gusto. Mezcle los quesos en un cuenco y espolvoréelos por encima.

3 Meta la fuente en el horno entre 5 y 8 minutos o hasta que el queso empiece a burbujear y se funda. Sirva inmediatamente.

Fruta con salsa de frambuesas

INGREDIENTES

55 g de frambuesas

1 cucharadita de zumo de naranja

2 cucharadas de yogur natural o griego

ELIJA FRUTAS COMO:

½ plátano cortado en rodajas

½ manzana pelada y cortada en gajos

½ pera pelada y cortada en cuñas

3–4 uvas sin pepitas partidas por la mitad

25 g de mango cortado en gajos

½ melocotón (o nectarina) cortado en gajos

½ kiwi cortado en gajos

para ❶-❷ personas

1 Para preparar la salsa, machaque las frambuesas en un colador de náilon para quitar las semillas. Incorpore las frambuesas trituradas y el zumo de naranja al yogur, y póngalo en una salsera. Disponga las frutas en un plato junto a la salsa.

Buñuelos de manzana

INGREDIENTES

para 4 personas

aceite de maíz, para freír

1 huevo grande

una pizca de sal

¾ taza de agua

⅜ taza de harina

2 cucharaditas de canela molida

¼ taza colmada de azúcar extrafino

4 manzanas peladas y sin corazón

1 Ponga el aceite de maíz en una freidora o en una sartén grande de fondo pesado y caliéntelo a 180–190 °C o hasta que un dado de pan se dore en 30 segundos.

2 Mientras, pase por la batidora el huevo y la sal hasta que salga espuma y añada rápidamente el agua y la harina. No bata la masa en exceso y no se preocupe demasiado si la mezcla no queda completamente homogénea.

3 Mezcle la canela y el azúcar en un plato llano y resérvelos.

4 Corte las manzanas en rodajas de 5 mm de grosor. Pinche las rodajas con un tenedor de una en una y rebócelas en la masa. Sumerja las rodajas de manzana en el aceite caliente, en tandas, y fríalas durante 1 minuto por cada lado o hasta que estén doradas e hinchadas. Retírelas con una espumadera y déjelas escurrir sobre papel de cocina. Manténgalas calientes mientras hace las demás. Páselas a una fuente grande, espolvoree la mezcla con azúcar y canela, y sirva.

Palomitas de maíz con chocolate

INGREDIENTES

para 6-8 personas

3 cucharadas de aceite de girasol

¼ taza de granos de maíz

2 cucharadas de mantequilla

¼ taza de azúcar moreno claro

2 cucharadas de almíbar de maíz oscuro

1 cucharada de leche

55 g de pepitas de chocolate semiamargo

1 Precaliente el horno a 150 °C. Caliente el aceite en una sartén grande de fondo pesado. Añada los granos de maíz, tape la sartén y fríalos, moviendo la sartén con fuerza y con frecuencia, durante unos 2 minutos hasta que dejen de crepitar. Pase las palomitas a un cuenco grande.

2 Ponga la mantequilla, el azúcar, el almíbar de maíz y la leche en una cacerola y caliéntelos a fuego lento hasta que se derrita la mantequilla. Lleve a ebullición, sin remover, y deje que hierva durante 2 minutos. Retire la cacerola del fuego, incorpore las pepitas de chocolate y remueva hasta que se fundan.

3 Vierta la mezcla de chocolate sobre las palomitas y remueva hasta que queden bien recubiertas. Extienda las palomitas chocolateadas en una fuente de horno grande.

4 Hornee las palomitas durante unos 15 minutos hasta que estén crujientes. Deje que se enfríen antes de servirlas.

Bocaditos de avena

INGREDIENTES

¾ taza de mantequilla y un poco más para untar

3 cucharadas de miel

¾ taza colmada de azúcar de caña

100 g de mantequilla de cacahuete suave sin azúcar añadido

2¾ tazas de copos de avena

¼ taza colmada de orejones remojados picados

2 cucharadas de pipas de girasol

2 cucharadas de semillas de sésamo

se obtienen 16 bocaditos

1 Precaliente el horno a 180 °C. Unte bien con mantequilla una fuente de horno cuadrada de 22 cm de lado.

2 Derrita la mantequilla, la miel y el azúcar en una cacerola a fuego lento. Cuando el azúcar se haya fundido, incorpore la mantequilla de cacahuete y remueva hasta que todos los ingredientes se hayan mezclado. Añada los demás ingredientes y remueva bien.

3 Esparza la mezcla en la fuente, presiónela y hornéela durante 20 minutos.

4 Retire la fuente del horno, deje enfriar y corte la plancha en 16 bocaditos cuadrados.

6 Postres

A los niños les encantan los postres y aquí encontrará suculentas ideas. Las galletas con diferentes formas, como estrellas o muñecos, siempre triunfan, así como todo aquello que pueda comerse fácilmente con los dedos. Por otra parte, las brochetas de fruta son perfectas para animar a los niños a comerla. Y el helado con salsa o trozos fresa es una idea fantástica para el postre de un día especial.

Galletas de orejones y pipas de girasol

INGREDIENTES

para 6-8 personas

7 cucharadas de mantequilla sin sal derretida

¼ taza de azúcar de caña

1 cucharada de jarabe de arce

1 cucharada de miel y un poco más para untar

1 huevo grande batido

¾ taza rasa de harina y un poco más para espolvorear, y 1½ tazas rasas de harina integral

1 cucharada de salvado de avena

½ taza de almendras molidas

1 cucharadita de canela molida

½ taza de orejones remojados picados

2 cucharadas de pipas de girasol

1 Bata la mantequilla derretida y el azúcar en un cuenco grande hasta que alcance un aspecto claro y esponjoso. Incorpore y bata el jarabe de arce, la miel y el huevo.

2 Agregue los dos tipos de harina, el salvado de avena y las almendras, y mezcle bien. Añada la canela, los orejones y las pipas y, con las manos enharinadas, mezcle bien hasta obtener una masa firme. Envuelva la masa en plástico transparente e introdúzcala en el frigorífico durante 30 minutos.

3 Precaliente el horno a 180 °C. Extienda la masa en una superficie ligeramente enharinada hasta que tenga un grosor de 1 cm. Con moldes de galletas redondos de 6 cm de diámetro, corte unos 20 círculos, amasando y reutilizando los recortes sucesivos. Ponga los círculos de masa en una bandeja de horno, píntelos con un poco de miel y hornéelos durante 15 minutos hasta que estén dorados. Saque las galletas del horno y deje que se enfríen sobre una rejilla.

Galletitas de naranja y plátano

INGREDIENTES

aceite de girasol, para untar

1 taza colmada de harina leudante y un poco más para espolvorear y amasar, si es necesario

1 taza colmada de harina leudante integral

1 cucharadita de levadura en polvo

½ cucharadita de canela molida

5½ cucharadas colmadas de mantequilla sin sal, fría, y cortada en dados

¼ taza de azúcar moreno

⅔ taza de leche entera y un poco más para pintar

1 plátano maduro pelado y machacado

la ralladura fina de 1 naranja

1¼ tazas de frambuesas ligeramente machacadas

se obtienen 12 galletitas

1 Precaliente el horno a 200 °C. Unte ligeramente con aceite una fuente de horno grande.

2 Ponga los dos tipos de harina, la levadura y la canela en un recipiente grande, agregue la mantequilla y mezcle bien con los dedos hasta obtener una textura similar a la del pan rallado. Incorpore el azúcar. Haga un orificio en el centro y vierta la leche, añada el plátano y la ralladura de naranja, y mezcle hasta obtener una masa blanda. La masa quedará húmeda.

3 Extienda la masa en una superficie ligeramente enharinada, añada un poco más de agua si es necesario y estírela hasta que tenga un grosor de 2 cm. Con un molde redondo de 6 cm de diámetro corte 12 galletas amasando y reutilizando los recortes. A continuación, páselas a la fuente y píntelas con leche. Hornéelas durante 10 o 12 minutos.

4 Retire las galletas del horno, deje que se enfríen un poco, pártalas por la mitad y rellénelas con las frambuesas.

Muñecos de pan de jengibre

INGREDIENTES

1¼ tazas de harina

2 cucharaditas de jengibre molido

½ cucharadita de bicarbonato de soda

4 cucharadas de mantequilla o margarina

½ taza rasa de azúcar moreno

2 cucharadas de almíbar de maíz oscuro

1 huevo batido

PARA DECORAR

lacasitos y gominolas con forma de gajo de naranja y de limón

se obtienen 4 muñecos o más, dependiendo del tamaño

1 Precaliente el horno a 190 °C. Tamice la harina, el jengibre y el bicarbonato de soda en un recipiente grande. Incorpore la mantequilla y mézclela con la harina con las manos hasta que la textura sea similar a la del pan rallado. Añada el azúcar.

2 Caliente el almíbar en una cacerola pequeña hasta que quede líquido y añádalo a la mezcla de harina junto con el huevo batido. Mezcle todo hasta obtener una masa blanda y amásela un poco. Si está muy pegajosa, agregue un poco más de harina.

3 Estire la masa sobre una superficie ligeramente enharinada y, con un cortador de galletas, haga formas de muñecos. Ponga los muñecos de masa en una bandeja de horno ligeramente untada con mantequilla y hornéelos durante 10 minutos o hasta que la masa esté crujiente y dorada. Deje enfriar.

4 Utilice los lacasitos para hacer los ojos y los botones, y ponga las gominolas de naranja y de limón para simular la boca.

Manzana y arándanos con avena crujiente

INGREDIENTES

para ❷ personas

200 g de manzanas y arándanos

una pizca de canela molida

1 cucharadita de azúcar extrafino

COBERTURA CRUJIENTE

⅓ taza de harina

½ cucharadita de levadura en polvo

2 cucharaditas de azúcar extrafino

25 g de mantequilla sin sal

¼ taza de nata agria

1 cucharada de copos de avena

1 Precaliente el horno a 200 °C. Ponga la fruta, la canela y el azúcar en una cacerola pequeña con 1 cucharada de agua. Caliente poco a poco durante unos minutos hasta que la fruta empiece a ponerse tierna. Retire la cacerola del fuego.

2 Reparta la fruta entre dos cuencos refractarios. Vierta la harina, la levadura, el azúcar y la mantequilla en un recipiente pequeño, y mézclelo todo con las manos hasta que la textura sea similar a la del pan rallado. Incorpore la nata agria. A continuación, ponga los copos de avena en un plato, deposite unas cucharadas de la mezcla encima y rebócela. Aplane un poco la mezcla y dispóngala encima de la fruta. Ponga los cuencos refractarios en una bandeja y hornee unos 20 minutos hasta que estén dorados.

Arroz con leche

INGREDIENTES

para 2-3 personas

⅓ taza de arroz de grano corto

1¼ tazas de leche entera

las semillas de 1 vaina de cardamomo machacadas

½ cucharadita de extracto de vainilla

2 cucharaditas de azúcar (opcional)

leche o zumo de naranja para diluir (opcional)

1 naranja grande pelada, sin la parte blanca del centro y cortada en gajos

1 cucharadita de miel clara

unas gotas de agua de azahar

1 Ponga en una cacerola pequeña el arroz, la leche, las semillas de cardamomo machacadas, el extracto de vainilla y el azúcar, si decide utilizarlo. Lleve a ebullición y deje cocer a fuego muy lento durante unos 20 minutos, removiendo con frecuencia. Cuando los granos de arroz estén muy tiernos, apártelos del fuego y deje que se enfríen. Dilúyalos con un poco de leche o de zumo de naranja si es necesario.

2 Ponga los trozos de naranja en una fuente y riéguelos con la miel y con el agua de azahar. Remueva un poco y sirva con el pudin de arroz.

Helado con salsa de fresas y galletas

INGREDIENTES

para 8-10 personas

2½ tazas de nata espesa

1 vaina de vainilla desmenuzada

4 yemas de huevo

¼ taza de azúcar extrafino

175 g de fresas

1 cucharada de azúcar glas

GALLETAS

½ taza de azúcar glas tamizada

6 cucharadas de mantequilla sin sal derretida

1 yema de huevo

1 taza de harina y un poco más para espolvorear

1 Ponga la nata en una cacerola. Saque las semillas de vainilla de la vaina e incorpórelas a la cacerola junto con la vaina. Lleve a ebullición, retire del fuego y deje enfriar unos 20 minutos.

2 Mezcle las yemas de huevo y el azúcar extrafino. Vierta la nata. Introduzca la mezcla de nuevo en la cacerola limpia y póngala a cocer a fuego muy lento, sin dejar de remover, hasta que la mezcla empiece a espesarse. Cuele la mezcla en un cuenco, cúbrala y deje reposar hasta que se enfríe.

3 Bata la mezcla en una heladera o pásela a un cuenco y métala en el congelador. Cuando esté medio congelada, sáquela y remueva. Póngala de nuevo en el congelador. Repita la operación 4 o 5 veces. Para preparar la salsa, ponga las fresas y el azúcar glas en un recipiente y bata con una batidora.

4 Para elaborar las galletas precaliente el horno a 180 °C. Mezcle todos los ingredientes en un cuenco y remueva hasta obtener una masa homogénea. Extiéndala sobre una superficie enharinada y corte formando pequeñas estrellas. Póngalas en una fuente de horno antiadherente y hornéelas 5–10 minutos hasta que estén doradas. Sirva el helado con la salsa y las galletas.

Manzanas mini al horno con yogur de dulce de leche

INGREDIENTES

1 taza de nata para montar

1 taza rasa de yogur natural

4 cucharadas de azúcar moreno oscuro

4 manzanas pequeñas

8 orejones remojados picados

2 cucharaditas de mantequilla

para 4 personas

1 Para preparar el yogur de dulce de leche, bata la nata hasta que se espese. Incorpore el yogur y pase la mezcla a un cuenco. Espolvoree por encima el azúcar moreno, cubra el cuenco y métalo en el frigorífico durante 1 hora. Al enfriarse, el azúcar se licuará y formará una fina capa de salsa.

2 Precaliente el horno a 200 °C.

3 Lave las manzanas y quíteles el corazón. Con un cuchillo afilado, realice una incisión alrededor de cada manzana hacia media altura para que la manzana pueda expandirse al asarse. Póngalas en una fuente refractaria pequeña y rellénelas con los orejones. Ponga un poco de mantequilla encima de cada manzana y hornéelas unos 15 minutos o hasta que estén tiernas.

4 Dibuje una espiral con el azúcar licuado en el yogur y sirva con las manzanas calientes.

Tarta de manzana glaseada

INGREDIENTES

para 6 personas

2½ tazas rasas de harina leudante

¾ taza de mantequilla

agua para mezclar y pintar

1 cucharada de maicena

100 g de azúcar extrafino

1 cucharadita de canela molida

la ralladura fina de 1 naranja pequeña

la ralladura fina de 1 limón pequeño

8 manzanas Granny Smith peladas, sin corazón y cortadas en rodajas

2 cucharaditas de zumo de limón

nata, helado o natillas, para acompañar

COBERTURA

1 clara de huevo batida hasta que esté espumosa

1 cucharada de azúcar extrafino

1 Precaliente el horno a 200 °C e introduzca una bandeja para hornear.

2 Ponga la harina en un cuenco, incorpore la mantequilla y mezcle hasta obtener una textura similar a la del pan rallado. Añada suficiente agua para obtener una masa blanda pero no pegajosa. Extienda un poco menos de la mitad de la masa sobre una superficie enharinada y utilícela para forrar la base de un molde de pastel de 22 cm.

3 Mezcle en un recipiente la maicena, el azúcar, la canela y la ralladura de naranja y limón. Añada las manzanas y el zumo de limón, y mezcle bien. Disponga la mezcla sobre el molde forrado con la masa. Humedezca con agua los bordes. Extienda el resto de la masa y utilícela para cubrir el pastel. Amase los recortes sobrantes en forma de hojas. Píntelas con agua y péguelas al pastel. Pinte también la parte superior del pastel con clara de huevo batida y espolvoree el azúcar. Ponga el pastel sobre la bandeja y hornéelo entre 30 y 40 minutos hasta que esté dorado. Sírvalo con nata, helado o natillas.

Mousse de chocolate

INGREDIENTES

se obtienen 6 raciones

100 g de chocolate semiamargo (mínimo 70% de cacao) picado

1 cucharada de mantequilla

2 huevos grandes, con las claras y las yemas por separado

1 cucharada de jarabe de arce

2 cucharadas de yogur natural escurrido

½ taza colmada de arándanos

1 cucharada de agua

25 g de chocolate blanco rallado

1 Ponga el chocolate y la mantequilla en un cuenco refractario, colóquelo sobre una cacerola de agua hirviendo a fuego lento y caliéntelo hasta que se fundan la mantequilla y el chocolate. Deje enfriar un poco e incorpore las yemas de huevo, el jarabe de arce y el yogur.

2 Bata a punto de nieve las claras de huevo en un recipiente grande sin grasa e incorpore la mezcla de chocolate. Reparta la mezcla en 6 vasos o cuencos individuales y deje que se enfríen e introdúzcalos en el frigorífico durante 4 horas.

3 Mientras, ponga los arándanos al fuego en una cacerola pequeña con el agua y cuézalos hasta que empiecen a saltar y estén brillantes. Deje enfriar y métalos en el frigorífico.

4 Para servir, disponga sobre cada mousse unos arándanos y un poco de chocolate blanco.

Polos de yogur de fresa

INGREDIENTES

350 g de fresas frescas sin la parte blanca central y cortadas en rodajas

1¼ tazas de yogur natural cremoso

3 cucharadas de miel

unas gotas de extracto de vainilla

se obtienen 6 polos

1 Pase por la batidora las fresas, el yogur, la miel y el extracto de vainilla hasta obtener una mezcla homogénea.

2 Vierta la mezcla en moldes de polo y congélela hasta que se solidifique. Tenga en cuenta que a los niños les encantan los moldes con formas divertidas.

Minitartas de queso con fresas

INGREDIENTES

5½ cucharadas colmadas de mantequilla

1 taza rasa de copos de avena

2 cucharadas colmadas de avellanas picadas

1 taza de queso *ricotta*

¼ taza de azúcar moreno

la ralladura fina de 1 limón y el zumo de ½ limón

1 huevo más 1 yema de huevo

¾ taza rasa de requesón

1 kiwi

6 fresas grandes

se obtienen 6 minitartas

1 Forre 6 huecos de un molde con papel para magdalenas.

2 Derrita la mantequilla en una cacerola pequeña a fuego lento y déjela enfriar. Pase por la batidora los copos de avena unos segundos para desmenuzarlos, échelos en un cuenco, incorpore las avellanas y la mantequilla derretida, y mezcle bien. Reparta la mezcla entre las cestitas de papel y presiónela. Deje enfriar durante 30 minutos.

3 Precaliente el horno a 150 °C. Bata en un cuenco la *ricotta* junto con el azúcar y la ralladura y el zumo de limón. Agregue el huevo, la yema de huevo y el requesón, y mezcle bien. Ponga la mezcla en las cestitas de papel y hornee durante 30 minutos. Apague el horno pero deje dentro las minitartas hasta que se hayan enfriado por completo.

4 Pele el kiwi, córtelo en dados y corte las fresas en rodajas. Retire los moldes de papel, corone cada minitarta de queso con la fruta y sirva.

Helado con salsa de fresa

INGREDIENTES

para 4 personas

8 bolas de helado de vainilla de buena calidad

¼ taza de frutos secos variados picados, ligeramente tostados en una sartén

chocolate rallado y nubes de azúcar, para decorar

SALSA DE FRESA

250 g de fresas sin la parte blanca central y partidas por la mitad

2 cucharadas de zumo de naranja recién exprimido

2 cucharadas de azúcar extrafino

1 Para preparar la salsa, pase las fresas por la batidora junto con el zumo de naranja hasta obtener una mezcla homogénea. Ponga la mezcla en una cacerola y agregue el azúcar. Deje cocer a fuego lento entre 10 y 12 minutos o hasta que se haya espesado. Deje enfriar.

2 Para servir, ponga una cucharada de la salsa de fresa en el fondo de un vaso alto. Agregue dos bolas de helado y otra cucharada de salsa de fresa. Esparza los frutos secos y el chocolate. Ponga las nubes de azúcar encima de todo. Repita los pasos para preparar cuatro helados.

Brochetas de fruta

INGREDIENTES

fruta variada, como albaricoques, melocotones, higos, fresas, mangos, piña, plátanos, dátiles y papaya, preparada y troceada

jarabe de arce

50 g de chocolate semiamargo (mínimo 70% de cacao) desmenuzado

se obtienen 4 brochetas

1 Sumerja en agua 4 pinchos de bambú para fruta por lo menos durante 20 minutos.

2 Precaliente el gratinador del horno a potencia alta y forre una bandeja de horno con papel de aluminio. Ensarte trozos alternos de fruta en cada pincho. Pinte la fruta con un poco de jarabe de arce.

3 Ponga el chocolate en un cuenco refractario, colóquelo sobre una cacerola de agua hirviendo a fuego lento y caliente hasta que el chocolate se derrita.

4 Mientras, ase las brochetas de fruta bajo el gratinador durante 3 minutos o hasta que la fruta esté caramelizada. Sirva las brochetas regadas con un poco de chocolate fundido. Si los comensales son niños pequeños, puede quitar los trozos de fruta de los pinchos.